U0083374

古代歷史文化研究輯刊

十四編

王明蓀 主編

第23冊

十八世紀贛南地區的糧食市場整合研究

鄭生芬 著

十八世紀陝南地區的糧食市場整合研究

陳金月 著

國家圖書館出版品預行編目資料

十八世紀贛南地區的糧食市場整合研究　鄭生芬 著／十八世紀陝南地區的糧食市場整合研究　陳金月 著 — 初版 — 新北市：花木蘭文化出版社，2015〔民 104〕

目 2+66 面／目 4+100 面；19×26 公分

(古代歷史文化研究輯刊 十四編；第 23 冊)

ISBN 978-986-404-331-6／978-986-404-332-3（精裝）

1. 糧食業 2. 中國／1. 糧食業 2. 中國

618　　104014386／104014387

ISBN-978-986-404-332-3
9 789864 043323

古代歷史文化研究輯刊
十四編　第二三冊　ISBN：978-986-404-331-6／978-986-404-332-3

十八世紀贛南地區的糧食市場整合研究
十八世紀陝南地區的糧食市場整合研究

作　　者　鄭生芬／陳金月
主　　編　王明蓀
總 編 輯　杜潔祥
副總編輯　楊嘉樂
編　　輯　許郁翎
出　　版　花木蘭文化出版社
社　　長　高小娟
聯絡地址　235 新北市中和區中安街七二號十三樓
電話：02-2923-1455／傳真：02-2923-1452
網　　址　http://www.huamulan.tw 信箱 hml 810518@gmail.com
印　　刷　普羅文化出版廣告事業
初　　版　2015 年 9 月
全書字數　47545 字／67395 字
定　　價　十四編 28 冊（精裝）台幣 52,000 元

十八世紀贛南地區的糧食市場整合研究

鄭生芬　著

作者簡介

鄭生芬，高雄市人，民國六十六年（西元一九七七年）生。國立成功大學史研所畢業，現職為台南市立民德國中歷史教師。就讀於成功大學歷史系期間，受蘇梅芳老師啟發，對清史研究產生興趣，曾著述《論郭嵩燾的洋務思想》一文為畢業論文，攻讀碩士期間，又幸獲謝美娥老師指導，完成《十八世紀贛南地區的糧食市場整合研究》一文為碩士論文。

提　　要

本文從「清代糧價資料庫」取得清代贛州府、南安府及寧都直隸州的米價原始數據，建立一組糧價時間數列，經過可靠性評估及補遺漏值，運用計量方法，分析此一數列的長期趨勢以及相關分析，探討贛南地區的市場整合程度，並輔以定性史料佐證量化研究結論。

觀察米價的長期趨勢，結果皆呈現緩慢上升的長期趨勢。由史籍記載的自然災害考察其與糧價變動的關聯性，極端價格多有相應的天災伴隨發生，驗證其極端值並非人為統計造成。

對米價長期變動的觀察，顯示贛州府、南安府、寧都直隸州三個府（州）的時間數列變動極為近似，已經間接證實贛南地區的米糧市場呈現高度整合狀態，以相關分析法所得的結果，贛州府與南安府的相關係數值高達 0.84，贛州府及寧都直隸州的相關係數值達 0.78，兩組相關係數接近 0.8 或以上，且數值皆為正相關，表示彼此關係緊密，意謂贛州府、南安府、寧都直隸州三府（州）的糧食市場有高度的整合，實可視為同一市場區。又南安府與寧都直隸州的相關係數雖較低，為 0.56，但不能視為兩者不相關。從米價相關分析的結果，驗證十八世紀贛州府、南安府、寧都直隸州三府（州）的糧食市場為高度整合的地區，贛南地區實可視為一個糧食市場區。

謝　誌

大學畢業後，投身教職，匆匆幾年時光飛逝，深感學識不足，決心報考史研所，有幸上榜，並遇到一群志同道合的好姊妹，儷今、靖雰、雅茜、龍琪、琇珍，感謝妳們在求學路上的陪伴，在繁重的課業中相互支持的情誼。更有幸遇見我的指導教授　謝美娥老師，感謝老師在論文寫作的過程中，不斷地給予鼓勵，花費時間耐心地引導我，協助我解決問題，能夠順利地完成論文，眞的必須再次感謝老師的指導。

在論文寫作之際，最要感謝家人的支持，有父母親的關愛及栽培，才有今日這小小的成就，婆家的包容及鼓勵也給我前進的動力，還有親愛的寶貝及外子，擁有你們讓我的生命更豐富。另外，也感謝導一的夥伴們，在課業及工作的雙重壓力下，你們的鼓勵和陪伴，都是支持我完成論文寫作最堅強的後盾。

目次

表目錄

圖目錄

第一章　緒　論

第一節　研究動機與研究目的

在十九世紀，德國統計學家恩格爾（Ernst Engel）發現當家庭所得提高，糧食開銷占總消費的比重會逐漸減少，儲蓄或其他支出的比重會愈來愈高，此一消費結構隨所得變化而改變的關係，即是著名的恩格爾法則（Engel's law）。從恩格爾法則可以得知，消費活動是有急緩本末之分的，吃飽穿暖是本，不管經濟發展或衰退，食物這類基本需求的消費，占總消費額的比重會調整，但卻永遠不會消失。馬斯洛（Maslow）的需求理論，也認爲豐衣足食是人類維持生存最基本的需求，因此在中國歷史上，各朝代的統治者始終以農業爲立國之本，糧食也成爲人民主要的消費商品。

學者研究清代前期的商品流通和交換，主要是糧農出售糧食，換取布和鹽，這類的交易占國內市場百分之八十以上的交易量，而經濟作物區綿、麻、茶等生產者除換取布和鹽外，還和糧農換取部分糧食。〔註 1〕可見糧食非但是家庭總消費額的重要支出，也是市場佔有率最大量的商品，貿易市場主要以糧食爲軸心進行，而糧食貿易又往往伴隨著其他商品的運銷，即「天下無不食米之人，米價既長，凡物價、夫工之類莫不準此遞加。」〔註 2〕糧食價

〔註 1〕吳承明，〈論清代前期我國國內市場〉，收入吳承明，《中國資本主義與國內市場》（臺北：谷風出版社，1987 年），頁 318～319。

〔註 2〕蔣良騏原纂、王先謙改修，《十二朝東華錄乾隆朝》（臺北：文海圖書，1963 年），卷 67，乾隆 37 年 10 月癸未條，頁 1038。

格的上漲或下跌，影響黎民百姓的生計，也是統治者作爲衡量社會秩序和經濟變動的重要指標，所以糧食價格就極具特殊意義。

又因爲地形、氣候等環境因素影響，中國大致形成「南米北麥」的飲食習慣。所以研究清代米價的變化，在很大程度上可以作爲當時物價的代表，並且反映一個區域經濟發展的狀況和該區域的市場整合情形。〔註 3〕所謂「市場整合」（market integration），是指某地市場與另一地的市場，通過供需關係及商品流通，彼此間產生的關聯程度，簡言之，市場整合程度愈高，兩地商品價格變動的一致程度也愈高。

學界對糧價變動的分析，無論是短期波動或對長期趨勢的解釋，多半基於直觀觀察便驟然立論，因此結論多籠統而不具體，欠缺可供科學驗證的成果。本文擬從區域糧價著手，建立一組糧價時間數列，運用計量方法，分析此一數列的長期趨勢以及相關分析，探討區域的市場整合程度，並輔以定性史料佐證量化研究結論。

清代江西是中國重要的米糧輸出區之一，也是漕米主要的供應省分，該省餘糧又外銷附近省份，所謂「廣東之米取給於廣西、江西、湖廣，而江浙之米皆取於江西、湖廣」，是當時中國米市的重要生產地。〔註 4〕江西的糧食生產，又以贛南餘糧最多，據《贛州府志》記載：「贛無它產，頗饒稻穀」。〔註 5〕但以清代行政區劃及自然環境劃分而成的「贛南」地區，是否屬於同一個糧食市場區？在這個區域內，稻米的流通運輸及其價格的變化是否會高度影響或呈現一致性的變動趨勢？要解決這些疑慮，則必得進行市場整合研究，因此本文將運用統計方法進行江西贛南地方米價的研究，藉此瞭解 18 世紀在贛南地區的贛州、南安、寧都州三府，米價的長期趨勢及彼此間市場整合情況，探討「贛南」地區是否同屬一個市場區。

〔註 3〕全漢昇、王業鍵，〈清雍正年間（1723～35）的米價〉，收入全漢昇，《中國經濟史論叢》（臺北：稻鄉出版社，1996 年），頁 517。

〔註 4〕中國第一歷史檔案館編，《雍正朝漢文硃批奏摺彙編》，第七冊，（江蘇：江蘇古籍出版，1991 年），雍正 4 年 7 月 20 日，〈鎮海將軍何天培奏請嚴禁內地產米之省結黨遏糴摺〉，頁 722。

〔註 5〕余文龍修、謝詔纂，《江西省贛州府志》（明天啓元年刊本影印；臺北：成文出版社有限公司，1989 年），卷 3，〈土產〉，頁 11～12。

第二節　研究回顧與研究方法

一、清代江西經濟研究成果

有關清代江西經濟研究成果，學者研究方向大致區分為以下幾個主題。包含農業生產、人口流動、生態環境的轉變、商品經濟的探討、市場概念等議題。

關於農業生產，施由民曾發表一系列文章，在〈清代贛南農業經濟〉一文中，認為贛南擁有優越的自然資源，農業生產呈現多樣化，糧食以水稻為主，輔以豆類、紅薯等雜糧；經濟作物以甘蔗、花生為主，其他還有棉、麻、茶、果桑等種類；廣大的江河、溪流、池塘、水庫可利用於發展漁業；並可發展豬、牛、禽、蜂等的養殖以及瓜果、蔬菜的農副產品加工。〔註6〕施氏另文〈明清時期江西糧食作物的種植技術〉一文，他認為明清時期江西人民充分利用土地的自然環境，除種植水稻為主要糧食，並輔以大麥、小麥、番薯、芋、粟（小米）、菽（豆類）等糧作，有一套相當科學的種植方法，時至今日仍保存下來。〔註7〕又其在〈論清代江西農業的發展〉文中論述清代江西在有限的土地下，要養活不斷增加的人口，因此引進新的水稻品種，以增加單位面積的產量，同時發展多熟制種植，提高土地的利用率，而農業的發展帶動商品經濟的繁榮，除糧食運銷江、浙、閩、粵，油茶、油桐、花卉、菸絲、蔗糖、花生、木材等經濟作物轉銷全國各地，連帶使江西各地興起大量墟市。〔註8〕

昌慶鐘在〈清代江西經濟作物發展的原因〉一文論及因人口漸增，清政府鼓勵人民墾荒，因此在新開墾的山地，廣泛地種植雜糧及經濟作物；另外為提高單位產量，積極發展精細農業，推廣雙季稻，而流民正是勞動力的主要來源。〔註9〕李衛東、昌慶鍾、饒武元在〈清代江西經濟作物的發展及其局

〔註6〕施由民，〈清代贛南的農業經濟〉，《農業考古》，1989年第1期，頁165～178。

〔註7〕施由民，〈明清時期江西糧食作物的種植技術〉，《農業考古》，1992年第1期，頁164～166。

〔註8〕施由民，〈論清代江西農業的發展〉，《農業考古》，1995年第1期，頁141～149。

〔註9〕昌慶鍾，〈清代江西經濟作物發展的原因〉，《江西大學學報》，1993年第3期，頁72～76。

限〉一文認為清代江西經濟作物的種植，不但種植面積日益廣大，成為部分農戶主要的收入來源，甚至出現專業種植農戶。但儘管商品經濟達到一定發展，大部分農民依舊是佃農，除了必須接受地主、商人的雙重剝削，還要承擔糧價等因素的影響，縱然種植經濟作物比種植糧食作物獲利較豐，但也很難因此致富。〔註 10〕周琍、黎明香〈明清贛南地區經濟作物的種植研究〉一文認為經濟作物的種植是由閩粵流民帶來的，因為贛南地區交通發達，使經濟作物經長途販運而運銷各地，進而刺激經濟作物專業化農業區的形成，促使初級加工業及專業化墟市的興起。〔註 11〕史志宏在〈清代前期的耕地面積及糧食產量估計〉一文利用歷史文獻資料及近代的調查，對清前期的耕地面積和糧食產量作一估算，認為清代的耕地面積及單位產量都高於明代，為何糧價仍一再上升？他認為原因在於清代人口增加速度過快過多，導致每人可獲得的人均糧反而比明代少，造成民食日趨緊張，影響經濟發展。〔註 12〕

農業開墾離不開勞動力，因此學者致力於人口的流動及估算，相關的研究有曹樹基〈清代中期的江西人口〉一文借助光緒《江西通志》及嘉慶《大清一統志》所載戶口數據，統計清代江西各府縣的人口變化（包括南昌、南康、九江、瑞州、饒州、廣信、袁州、臨江、吉安、建昌、撫州、贛州、南安府和寧都直隸州以及諸府下轄的各縣）。〔註 13〕曹氏另文〈明清時期的流民和贛南山區的開發〉描述從明中葉至清前期，閩南、粵東的「客家」流民進入贛南山區墾荒達到最高峰，帶來的新技術、新品種促成贛南經濟作物區與經濟林區的產生，帶動贛南商品經濟的活躍和山區內部市場的興盛。〔註 14〕

明清時期閩粵客家遷入江西移民日眾，一方面帶來可觀的勞動力，另一方面也改變了贛南原有的生態環境。李曉方在〈明清時期閩粵客家的倒遷與贛南生態環境的變遷述論〉一文表示明清閩粵客家移民入贛，開發贛南的原

〔註 10〕李衛東、昌慶鍾、饒武元，〈清代江西經濟作物的發展及其局限〉，《中國農史》，第 20 卷第 4 期（2001 年），頁 50～54。

〔註 11〕周琍、黎明香，〈明清贛南地區經濟作物的種植研究〉，《農業考古》，2010 年 1 期，頁 251～256。

〔註 12〕史志宏，〈清代前期的耕地面積及糧食產量估計〉，《中國經濟史研究》，1989 年第 2 期，頁 47～62。

〔註 13〕曹樹基，〈清代中期的江西人口〉，《南昌大學學報（人社版）》，第 32 卷第 3 期（2001 年 7 月），頁 128～140。

〔註 14〕曹樹基，〈明清時期的流民和贛南山區的發展〉，《中國農史》，1985 年第 4 期，頁 19～40。

始山林，促進社會經濟發展，卻因人口膨脹導致過度開發，生態環境呈現持續惡化的狀態。〔註15〕黃志繁〈清代贛南的生態與生計——兼析山區商品生產發展之限制〉一文認爲，清代贛南人口的增加理應同時增加糧食的生產，但外部市場的需求，卻使贛南必須拿出部分土地種植經濟作物，還要向外輸出糧食，造成贛南人地關係緊張的局面，過度的開發讓生態持續惡化的情況無法改善，終使山區的商品經濟逐漸衰落。〔註16〕

對於商品經濟的探討，相關研究有徐曉望在〈清代江西農村商品經濟的發展〉一文中論述清代江西輸出的商品，主要爲農產品，包括糧食、糖、茶油、棉花、桐油、生漆、苧麻、紙張、花、菸草等，因爲生產技術不高，又爲養活眾多人口，非糧食的經濟作物種植，如發展菸業、蔗業就受到政府的限制，導致商品經濟無法進一步發展。〔註17〕饒偉新在〈清代山區農業經濟的轉型與困境：以贛南爲例〉一文中表示清代贛南山區，以經濟作物作爲輸出的主要商品，是農民爲維持生計的副業，因此並沒有引起贛南山區農業經濟結構性的改變，反而加強自給自足的稻作自然經濟，而受到山多田少、自然災害和人爲的生態破壞，以及不斷增加的人口壓力，使贛南山區的農業經濟，僅能停留在餬口的水準上。〔註18〕方志遠《明清湘鄂贛地區的人口流動與城鄉商品經濟》一書，認爲人口的壓力影響社會經濟的發展，明清湘鄂贛地區的商品以農產加工及手工業爲主，利潤少，使農民難以累積資本；又由於廉價勞動力的大量存在，使農業或手工業不必尋找任何新的動力或能源，也不用投入資金改進技術，以避免更多勞動力的閒置，而當生產技術未能進一步進步，注定明清湘鄂贛地區商品經濟無法突破傳統經濟的範疇。〔註19〕

一般說來，市場有狹義和廣義之分。狹義的市場爲有形的市場，即交易或買賣場所，包含專業市場；廣義的市場爲無形市場，即交易或買賣的過程

〔註15〕李曉方，〈明清時期閩粵客家的倒遷與贛南生態環境的變遷述論〉，《贛南師範學院學報》，2007年第5期，頁47～51。

〔註16〕黃志繁，〈清代贛南的生態與生計：兼析山區商品生產發展之限制〉，《中國農史》（2003年3月），頁96～105。

〔註17〕徐曉望，〈清代江西農村商品經濟的發展〉，《中國社會經濟史研究》，1990年第4期，頁30～40。

〔註18〕饒偉新，〈清代山區農業經濟的轉型與困境：以贛南爲例〉，《中國社會經濟史研究》，2004年第2期，頁83～91。

〔註19〕方志遠，《明清湘鄂贛地區的人口流動與城鄉商品經濟》（北京：人民出版社，2001年）。

和關係，包括商品在生產、流通、交易過程中發生的各種現象。〔註 20〕學者以此爲主題的研究成果包含許檀在〈明清時期江西的商業城鎮〉一文指出，因明代實施海禁政策，大庾嶺商道從此成爲南北貿易的重要路線，江西也成爲全國商品流通的必經之地，作者就地理位置、流通商品及貨運路線，分述各城鎮的商業發展狀態。〔註 21〕施由民〈論清代江西農村市場的發展〉一文，認爲清代江西農村市場的發展，以增加初級市場「墟市」爲主，農民售出剩餘農產品，買回日用品，這種初級市場反而更加鞏固自給自足的小農經濟；另外在水路交通便利之地，也興起一批商品集散性質的市鎮和手工業專業市鎮，數量及規模雖然比起明代已有較大的發展，仍無法促成資本主義的萌芽。〔註 22〕黃志繁在《清代贛南商品經濟研究——山區經濟典型個案》一書，歸納清代贛南市場的三個特點，第一，由於贛南地近閩粵，在閩粵贛邊境經常進行商業交易，使贛南市場不僅屬於贛江市場體系，還與閩粵市場保持關聯。第二，著名的大庾嶺商路從贛南經過，這條商道流通絲、瓷器、藥材、香料、食品等全國性商品，大部分顯然不是贛南所需，因此並未促進贛南當地市場的發展。第三，清代贛南出口商品以糧食、竹木爲主，進口商品以食鹽、棉布爲主，雖然出現商品化，但並未發展成近代市場。〔註 23〕

至於商品流通的路線、數量及種類，學者擁有的研究成果，包括陳支平在〈清代江西的糧食運銷〉一文，認爲江西每年運銷上千萬石的糧食至江、浙、閩、粵各省，使東南沿海地區能夠多出剩餘的勞動力及土地，可以從事各種工商業活動及經濟作物的種植，促進社會分工及商品經濟的發展，這也是資本主義萌芽的契機，但隨著人口的增長，江西失去地廣人稀的優勢，生產技術及工具又無法進步，糧食運銷外省有限，自然限制近代經濟的發展。〔註 24〕周琍〈明清時期閩粵贛邊區的“鹽糧流通”〉一文，明清時期食鹽由

〔註 20〕方志遠，《明清湘鄂贛地區的人口流動與城鄉商品經濟》，頁 470～471。

〔註 21〕許檀，〈明清時期江西的商業城鎮〉，《中國經濟史研究》，1998 年第 3 期，頁 106～120。

〔註 22〕施由民，〈論清代江西農村市場的發展〉，《江西社會科學》，2002 年第 9 期，頁 102～106。

〔註 23〕黃志繁、廖聲豐，《清代贛南商品經濟研究：山區經濟典型個案》（北京：學苑出版社，2005 年）。黃志繁另文已提及相關概念，〈大庾嶺商路——山區市場——邊緣市場：清代贛南市場研究〉，《南昌職業技術師範學院學報》，2000 年第 1 期，頁 28～32。

〔註 24〕陳支平，〈清代江西的糧食運銷〉，《江西社會科學》，1983 年第 3 期，頁 116～120。

國家統銷，汀州食福建鹽、贛州食淮鹽，路遠價高，品質又差，由於食鹽銷區劃分的不合理，引發嚴重的社會問題；由於贛南、閩西缺鹽，而閩西和粵東缺米，因此民間逐漸形成由贛州運糧至汀州，再運回潮州鹽的交易方式，構成閩、粵、贛經濟區域。〔註 25〕

要從宏觀的角度了解江西的經濟發展，鄧亦兵《清代前期商品流通研究》一書，針對清代前期重要商品的運輸路線及運銷量，商人和市鎮的發展以及政府在商品流通中的作用作一說明，讓人對清代前期商品經濟在全國市場流通，有更清楚的空間概念。〔註 26〕許懷林所著的《江西史稿》和陳榮華、余伯流、鄒耕生、施由民《江西經濟史》一書，從編年史的角度，論述歷代江西經濟的發展趨勢，由時間概念了解江西社會經濟轉變的歷程。〔註 27〕施由民《明清江西社會經濟》一書，探討明清時期江西經濟由興盛到衰落的各項原因，解釋明清時期江西經濟的發展過程。〔註 28〕

從學者的研究成果，可以了解清代江西的經濟基礎是農業，糧產豐富，雜糧及經濟作物的栽種也很繁盛，餘糧成爲商品販賣外地，贛南由於地處山區，開發最晚，餘糧也最多，經濟發展迅速。但贛南的經濟發展終究未走向近代化，學者試圖從農業發展的侷限、人口增長影響人均糧的成長、環境過度開墾破壞、家戶所得無法有效投入商品等方向，解釋清代贛南爲何未能持續發展商品經濟，著述的論文數量頗多，唯在研讀過程中，筆者發覺許多議題是被反覆論述的，結論相當雷同，一致性頗高，又論文中所使用的主要研究方法爲歷史文獻法，亦稍缺新意。〔註 29〕

學者於文章中以清代行政區劃及自然環境作爲劃分「贛南」地區的依據，但迄今尚未有研究明確指出，「贛南」地區是否同屬一個市場區？筆者所謂的市場區，並非指市街城鎮等商業交易的場所，而是另一種看不見、非關任何具體建築物所運作而形成的市場。要劃分成同一市場區，就是要釐清兩地之間的商業往來是否有關聯，相關性高即意謂在兩個或多個市集間的整合度

〔註 25〕周琍，〈明清時期閩粵贛邊區的“鹽糧流通”〉，《鹽業史研究》，2006 年第 3 期，頁 33～39。

〔註 26〕鄧亦兵，《清代前期商品流通研究》（天津：天津古籍出版社，2009 年）。

〔註 27〕許懷林，《江西史稿》（南昌：江西高校出版社，1993 年）。陳榮華、余伯流、鄒耕生、施由民，《江西經濟史》（南昌：江西人民出版社，2004 年）。

〔註 28〕施由明，《明清江西社會經濟》（南昌：江西人民出版社，2005 年）。

〔註 29〕戴天放，〈三十年來江西明清商品經濟史研究述評〉，《三明學院學報》，第 25 卷第 1 期（2008 年 3 月），頁 93～94。

高，在高度整合的市場內，勞動力、資金、技術、物價等市場信息的變動趨勢是一致的。〔註 30〕稻米是「贛南」最主要的農產品，也是最重要的商品，以稻米的價格變動，來探討「贛南」市場的關聯程度，無疑是最好的切入點。

對於「贛南」地區究竟可不可以劃分爲同一糧食市場區，在界定其市場範圍，通常採取兩種方式，一是以米穀流通方向及其流通終點的變遷來區劃，二是以米價在兩地價格變動的相關程度來界定。前者是質化研究，主要是尋找史料文獻中有關糧食的流通紀錄佐證，後者關於市場整合的探討，爲量化研究，依據糧食價格的變動來分析糧食市場區域的劃分及其遠近關係。〔註 31〕研讀學者對於清代江西經濟的研究成果，以前者爲主，在學者的論述中，尚未發現後者的相關研究。運用米價變動探討市場整合程度，相關研究以區域爲主，以不同省份分工的形式進行研究，重要的成果如下。

二、區域市場整合研究現狀

利用清代米價的變動來研究市場整合的程度，在此領域貢獻最大的學者爲全漢昇與王業鍵教授。全漢昇與 Richard A Kraus（克勞思）合作的《Mid-Ching Rice Markets and Trade：An Essay in Price History》一書，是最早出版的清代物價史專著，書中考察 1713～1719 年蘇州米價的季節變化，發現其變動幅度竟比 1913～1919 年上海米價的季節變動還小，說明該市場的流通機制和有效性，認爲整個長江到東南沿海一帶已經形成大範圍的統一市場。〔註 32〕王業鍵的研究比較注意東南地區，研究範圍包括整個清代，在〈十八世紀福建的糧食供需與糧價分析〉一文，根據雍正、乾隆朝的《宮中檔》及《福建通志》等史料檔案，將福建省的糧食貿易分爲三個主要市場區，即缺糧地區要從哪裡買到糧食？三大市場區包括 1.（閩江流域區）：福州從閩江上游的三個府—

〔註 30〕謝美娥，〈19 世紀淡水廳、臺北府的糧食市場整合研究〉，淡江大學歷史學系主辦，「第 5 屆淡水學國際學術研討會」，臺北：淡江大學，2010 年 10 月 15～16 日，頁 2。

〔註 31〕謝美娥，〈餘米運省濟民居，兼及西浙與東吳——18 世紀臺米流通及其與週邊地區糧食市場整合的再觀察〉，中央研究所人文社會科學中心地理資訊科學研究專題中心、香港中文大學歷史系及太空與地球信息科學研究所鹽和主辦，「明清時期江南市場經濟的空間、制度與網絡國際研討會」，臺北：中央研究所，2009 年 10 月 5～6 日，頁 2～3。

〔註 32〕Han-sheng Chuan and Richard A. Kraus, Mid-Ch'ing Rice Markets and Trade: An Essay in Price History.（Cambridge, Mass.: Harvard University Press, 1975）

—建寧、延平、邵武。2.（西區）：汀州從江西贛州搬運餘糧。3.（南區）：泉州、漳州依賴台灣的船運，另外也從江蘇、浙江、東南亞運進糧食。另外又對 1745～1756 年的邵武、福州、泉州、臺灣四個府的米價進行數量分析，認爲米價最高的是泉漳地區（缺糧）、最低的是邵武（餘糧），而核心地區的米價高於邊緣地區，兩地的價格變動相當一致。臺灣是餘糧區，米價卻高於缺糧的福州，因爲台灣的餘糧主要供應閩南，很少北運；又南區的米價高於閩江流域區，西區則劃入江西的糧食市場區內。〔註 33〕

上述文章，考察福建單省的糧食市場運作狀況，王氏另文則探討包含福建的跨省區的糧食市場研究，在〈十八世紀中國糧食供需的考察〉文中，他利用乾隆時期各省向中央按月呈報的糧價清單，選擇 1738～1789 年間，五府和一省的米價作爲觀察現象，包括長江下游的蘇州、杭州府，長江中游的漢陽府，東南沿海的泉州府，華北地區的淮安府，和嶺南地區的廣東省，通過米價的變動作相關分析，結果各地的米價變動相當一致，只有廣東省後期的米價變動趨勢不同。這五府即是施堅雅八大經濟區域之內，其中五大區域的核心區，研究結果顯示至少這五大區的區間關係是緊密的，因此認爲中國大部分地方，在十八世紀已經達到經濟一體化，一個全國性的糧食市場已經形成。〔註 34〕這個結論反證施堅雅（G.William Skinner）理論的不合理。施堅雅在其〈十九世紀中國的地區城市化〉一文中，表示清帝國晚期，中國尚未形成一個全國性的市場，而是分成八大區域，這些區域依水域爲界，沿山嶺主脈沿伸，自然資源不同，各大區域基本上自給自足，每個區域和其鄰近區域間的聯繫十分鬆散，經濟整合微不足道。〔註 35〕

王氏另文〈清中葉東南沿海的糧食作物分布、糧食供需及糧價分析〉，從「清代糧價資料庫」擷取東南沿海缺糧的江蘇、浙江、福建、廣東四個省份，就這四個省的首府蘇州、杭州、泉州、廣州府，進行米糧變動觀察及糧價相

〔註 33〕王業鍵，〈十八世紀福建的糧食供需與糧價分析〉，收入王業鍵，《清代經濟史論文集》，第 2 冊，（臺北：稻鄉出版社，2003 年），頁 119～150。

〔註 34〕王業鍵、黃國樞，〈十八世紀中國糧食供需的考察〉，收入王業鍵，《清代經濟史論文集》，第 1 冊，（臺北：稻鄉出版社，2003 年），頁 271～289。

〔註 35〕施堅雅的中國區域經濟模式分爲華北、西北、長江上游、長江中游、長江下游、東南沿海、嶺南、雲貴八大區域，沒有涉及滿州這第九個農業區。施堅雅，〈十九世紀中國的地區城市化〉，《中華帝國晚期的城市》（北京：中華書局，2000 年），頁 242～297。

關分析，發現十八世紀中葉，蘇州和廣州相關係數低，顯示長江三角洲和珠江三角洲兩地市場的關聯性很弱，因爲這兩個地區分別從不同地區獲得糧食補充，彼此間的糧食流通現象不明顯，這在某種程度支持施堅雅的八大經濟區域理論，認爲各大經濟區域各自孤立，尙未整合成一個全國性市場。但廣州和泉州分屬「嶺南地區」和「東南沿海地區」兩個不同經濟區域，兩地米價變動卻高度相關，顯示福建沿海與長江下游經濟地區也有相當程度的整合，並非各自獨立。〔註 36〕張瑞威在〈十八世紀江南與華北之間的長程大米貿易〉一文，通過探討中國北方沿運河地區的稻米供應情況，驗證王業鍵有關中國北方稻米市場整合的理論，釐清十八世紀華北與江南兩個地域是否已經出現稻米市場整合？他認爲清朝初年雖然因爲南北大運河的建立，江南和華北的交通運輸成本下降，刺激兩地的商品貿易，但兩個地域並沒有因此結合成一個經濟單位，由於漕糧制度，使京城的人們可以以非常低廉的價錢，享用產自江南的稻米，結果造成兩地稻米的長程貿易無法發展。〔註 37〕但這並不表示近年的研究認同施堅雅的八大地域經濟區理論，學者透過對各省的米價研究，試圖建立一個新的中國地域經濟模式。

陳春聲研究廣東米價，在《市場機制與社會變遷——18 世紀廣東米價分析》一書中，分析是否有以廣州、佛山爲中心，連接廣東、廣西兩省和江西、湖南和福建等省的華南「區域性市場」，他比較 1751～1770 年的廣州府米價與 1931～1936 年的廣州市米價的季節波動，結果顯示前者的季節變化幅度略小於後者，因此認爲十八世紀以廣州爲中心的糧食交易網已然形成。〔註 38〕Robert B. Marks（馬立博）“Rice Price, Food Supply, and Market Sturucture in Eighteenth－Century South China”一文，以 1738～1795 年的糧價清單研究兩廣地區的米價長期趨勢及市場整合。兩廣米價變動顯示價格長期上升的趨勢，有輕微的通膨壓力，在十八世紀已發展出整合程度相當好的米市，大致符合施堅雅所描繪的嶺南區域的範圍。〔註 39〕Robert B. Marks 另文“Price Inflation and It's social,

〔註 36〕王業鍵、黃瑩珏，〈清中葉東南沿海的糧食作物分布、糧食供需及糧價分析〉，收入王業鍵，《清代經濟史論文集》，第 2 冊，頁 363～397。

〔註 37〕張瑞威，〈18 世紀江南與華北之間的長程大米貿易〉，《新史學》，第 21 卷 1 期（2010 年 3 月），頁 149～170。

〔註 38〕陳春聲，《市場機制與社會變遷——18 世紀廣東米價分析》（臺北：稻鄉出版社，2005 年），頁 279。

〔註 39〕Robert B. Marks, “Rice Price, Food Supply, and Market Structure in Eighteenth—Century South China,” Late Imperial China, Vol.12, No.2（December 1991）, pp.64-115.

Economic, and Climatic Context in Guangdong Province ,1707～1800"，文中十八世紀的米價變動被區分爲三個時期，1707～1731 年因良好氣候、貨幣量不足及可耕地使用率達最大，使這時期米價低而平穩。1731～1758 年因人口成長及政府糧倉交易增加使米價上升。1762～1800 年因貨幣量增加及政府過度依賴市場等因素促使米價又上升。〔註 40〕

Lillian M. Li（李明珠）"Grain Prices in Zhili Province, 1736～1911: A Preliminary Study"一文分析直隸的小麥、小米、高粱的價格，發現長期趨勢、季節變化和災荒歉收對價格的影響都不大，因爲種植多種穀物的收穫季節不同，使季節變動不明顯，同時也緩和災年的穀價變動。另外由於省內的價格波動相互關聯性高，顯示常平倉的作用和市場的發達。〔註 41〕R. Bin Wong（王國斌）and Peter C. Perdue（濮德培）"Grain Market and Food Supplies in 18th Century Hunan "運用 1738～1858 年及 1738～1805 年的糧價清單討論兩湖地區的米價變動趨勢與市場整合，對湖南省內米糧貿易做定性及定量分析，認爲該區米價穩定，米糧出口縣與其它縣及縣內有強烈的市場整合。〔註 42〕

Wilkinson Endymion P.（威爾金森）在"Studies in Chinese price History"一文中，利用二十世紀最初十年的糧價細冊（藏於日本東京大學東洋文化研究所），考察銀錢比價和稻米、小麥、粟、碗豆的價格變動，發現除西安附近外，陝西省各地的糧食市場，幾乎沒有什麼關聯。〔註 43〕Peter C.Perdue（濮德培）"The Qing State and the Gansu Grain Market 1739～1864"一文透過倉儲與軍需探討甘肅地區市場的整合，認爲清朝的軍事行動使甘肅貨幣經濟化，且在十八～十九世紀間市場整合得到發展。〔註 44〕清朝的陝、甘兩省同屬西北地區，

〔註 40〕Robert B. Marks and Chen Chunsheng, "Price Inflation and It's social, Economic, and Climatic Context in Guangdong Province ,1707-1800,"T'oung Pao, vol.81,No.1（1995）, pp.109-152.

〔註 41〕Lillian M. Li,"Grain Prices in Zhili Province, 1736-1911: A Preliminary Study,"Thomas G.. Rawski and Lillian M. Li ed. ,Chinese History in Economic Perspective, pp.69-99.

〔註 42〕R. Bin Wong and Peter C. Perdue,"Grain Market and Food Supplies in 18th Century Hunan ," Thomas G.. Rawski and Lillian M. Li ed. ,Chinese History in Economic Perspective,（Berkeley and Los Angeles , CA: University of California Press,1992），pp.126-144.

〔註 43〕轉引吳承明，〈利用糧價變動研究清代的市場整合〉，《中國經濟史研究》，1996 年第 2 期，頁 89～90。

〔註 44〕Peter C. Perdue,"The Qing State and the Gansu Grain Market 1739-1864,"Thomas G.. Rawski and Lillian M. Li ed. ,Chinese History in Economic Perspective, pp.100-125.

一般認爲陝西比起甘肅，經濟發展程度較高，何以在市場整合程度上反而是甘肅高於陝西？研究成果值得再深入探討。

謝美娥在〈餘米運省濟民居，兼及西浙與東吳——十八世紀台米流通及其與週邊地區糧食市場整合的再觀察〉一文，以十八世紀台米流通爲中心，將東南沿海地區劃分爲三個次級糧食市場，結果台灣和福州、興化、泉州、漳州可以形成一個糧食市場區，和粵省潮州府也有相當的相關，但與浙省處州、溫州、臺州和長江下游地區的米價相關則低。〔註 45〕謝氏另文〈十九世紀淡水廳、臺北府的糧食市場整合研究〉利用「清代糧價資料庫」中十九世紀分府後的臺北府米價，以及淡水河下游平原的《道光二十二年歲次壬寅吉置廣記總抄簿》和竹塹《敕封粵東義民祀典簿》的米價資料，進行米價相關分析，發現不論在淡水廳或臺北府時期，北部台灣地區的糧食市場已有高度的市場整合，其次在縣級區域的糧食市場與府級區域的糧食市場也是相當整合，尤其在十九世紀中期以後的臺北府時期整合程度更高。〔註 46〕

學者收集雨水糧價奏摺的附件糧價清單，部分研究或直接採用王業鍵整理建立的「清代糧價資料庫」，運用糧價清單中的糧價數據，建立可靠的米價數列，進行米價相關分析，來劃分糧食市場的區域及其遠近關係，研究區域市場整合情況，這種使用數學統計方式的研究方法，捨棄糧價清單的數據資料，罕有其他系統的數據可供運用，這是研究的重要價値所在。〔註 47〕從學者關於清代江西經濟研究成果，包含農業生產、人口流動、生態環境、商品經濟、市場概念等議題的探討，可以窺見清代經濟發展的面貌，有助筆者進行清代贛南地區區域研究，論證「贛南」是否自成一個地方經濟圈。

施堅雅提出的八大地域經濟區理論，認爲直至清帝國晚期，中國依然尚未形成一個全國性的市場，各大區域基本上自給自足，每個區域和其鄰近區域間的聯繫十分鬆散，近年學者的研究，著重在驗證施堅雅的八大地域經濟區理論，學者透過對各省的米價研究，探討施堅雅的研究，驗證各巨區之間是否有市場整合的情形，試圖建立一個新的中國地域經濟模式。然而施堅雅

〔註 45〕謝美娥，〈餘米運省濟民居，兼及西浙與東吳——18 世紀臺米流通及其與週邊地區糧食市場整合的再觀察〉，頁 1～30。

〔註 46〕謝美娥，〈19 世紀淡水廳、臺北府的糧食市場整合研究〉，頁 1～42。

〔註 47〕吳承明，〈利用糧價變動研究清代的市場整合〉，《中國經濟史研究》，1996 年第 2 期，頁 88。

的八大地域經濟區理論更強調的是，各經濟區內的市場整合，高於巨區與巨區之間的市場整合，因此筆者擬循前輩的研究成就，擷取「清代糧價資料庫」中江西贛州府、南安府及寧都直隸州的米價數據，進行米價長期趨勢及相關分析，檢測贛南地區的市場整合程度。

來自官方糧價報告的糧價清單，經學者多方努力蒐集及建檔，於 2008 年終於將「清代糧價資料庫」建置完成，這個資料庫總和現今已知的所有糧價清單的數量訊息，是二十世紀以前，非常少有且連續性極強的物價資料庫，史料價值極高。而江西自古爲米谷輸出地，王業鍵區分爲糧食作物有餘省份，但尚未有學者運用糧價數據分析米價變動，檢測清代江西贛南市場的整合情形，本文擬就「清代糧價資料庫」中擷取的糧價資料，以米價價格來驗證施堅雅的八大地域經濟區理論，巨區內的區域互動更高，市場整合更明顯。

又數量資料雖可作爲市場發展的直接指標，但需使用數學方法評估數據的可信度，接著輔以記述性史料進行質性研究，立論才能更精確，因此本文的研究方法，是量化統計和質性研究並行。

（一）量化研究

筆者擬利用「清代糧價資料庫」中贛州府、南安府及寧都州的米價原始資料，檢測米價可靠性和補塡部份月分缺失的遺漏值，建立一組米價數列，利用統計方法進行米價長期趨勢及相關分析，通過探討米價的變動，研究贛南市場整合的程度。

（二）質性研究

主要參考資料包括國立故宮博物院出版《宮中檔乾隆朝奏摺》75 輯，清代的《江西通志》、贛南《贛州府志》、《南安府志》、《寧都直隸州志》及各府縣志等地方志史料，以及學者對清代江西經濟發展研究的專書及論文等研究成果，利用上述資料將贛南地區的地理環境、人口變動、糧產類別及生產供需及糧食流通等情況詳細描述，以完備本文的基礎架構。

第二章　贛南米價數據的可靠性評估

第一節　贛南的農業經濟

本節主要是概述贛南的地理環境、稻作生產與糧食流通。本文所指的贛南區域，在今日的行政區劃下，大致包括贛州市及其十五縣二市，範圍詳見圖 2-1 贛州地區，該地區面積 39,379 平方公里，佔江西省全省面積的 23.6%。〔註 1〕在清代的行政區劃下，贛南包括南安府，下轄大庾、南康、上猶、崇義四縣；贛州府下轄贛、雩都、信豐、興國、會昌、安遠、龍南、長寧八縣及定南、虔南二廳；寧都直隸州下轄瑞金、石城二縣，範圍詳見圖 2-2、2-3 的清代行政區域劃分。〔註 2〕

〔註 1〕黃志繁、廖聲豐，《清代贛南商品經濟研究：山區經濟典型個案》（北京：學苑出版社，2005 年），頁 7。

〔註 2〕牛平漢，《清代政區沿革綜表》（北京：中國地圖出版社，1990 年），頁 175～177。清代贛南的行政區劃變動情形：乾隆 19 年（1754），升寧都縣爲直隸州，管轄石城、瑞金二縣。乾隆 38 年（1773），改定南縣爲定南廳。光緒 29 年（1903），析龍南、信豐縣地置虔南廳。

圖 2-1：贛南行政區劃圖

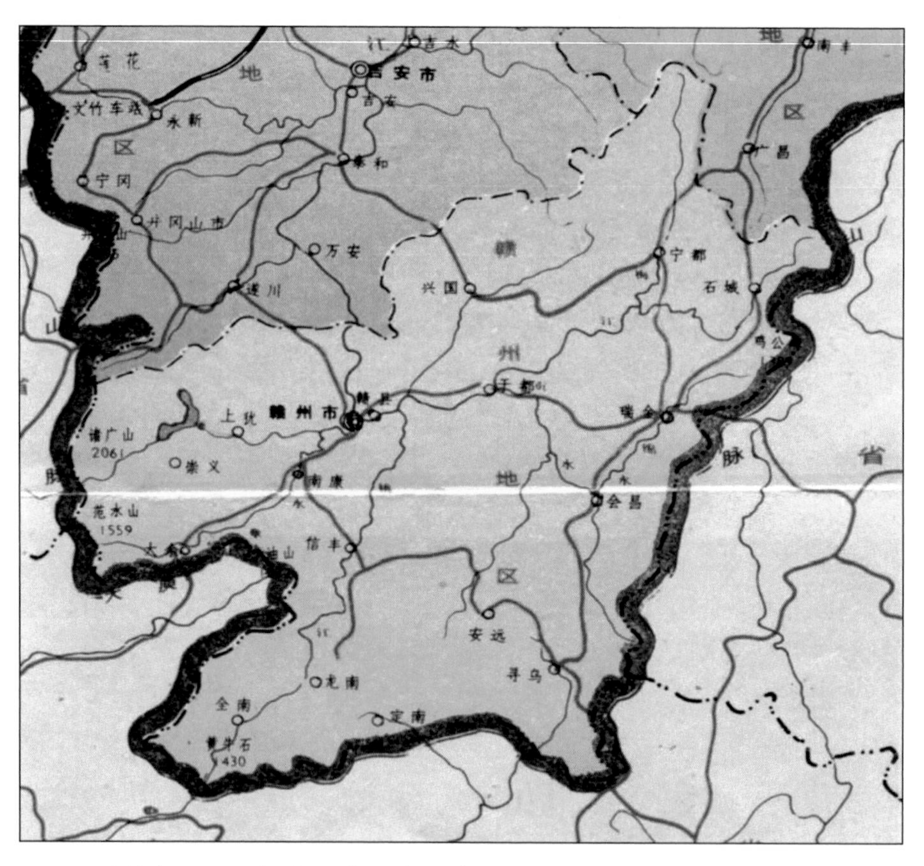

資料來源：譚鉅生、林文榮、黃際民，《江西省地理》（南昌：江西教育出版社，1989 年），頁 1。

圖 2-2：清代江西行政區劃圖

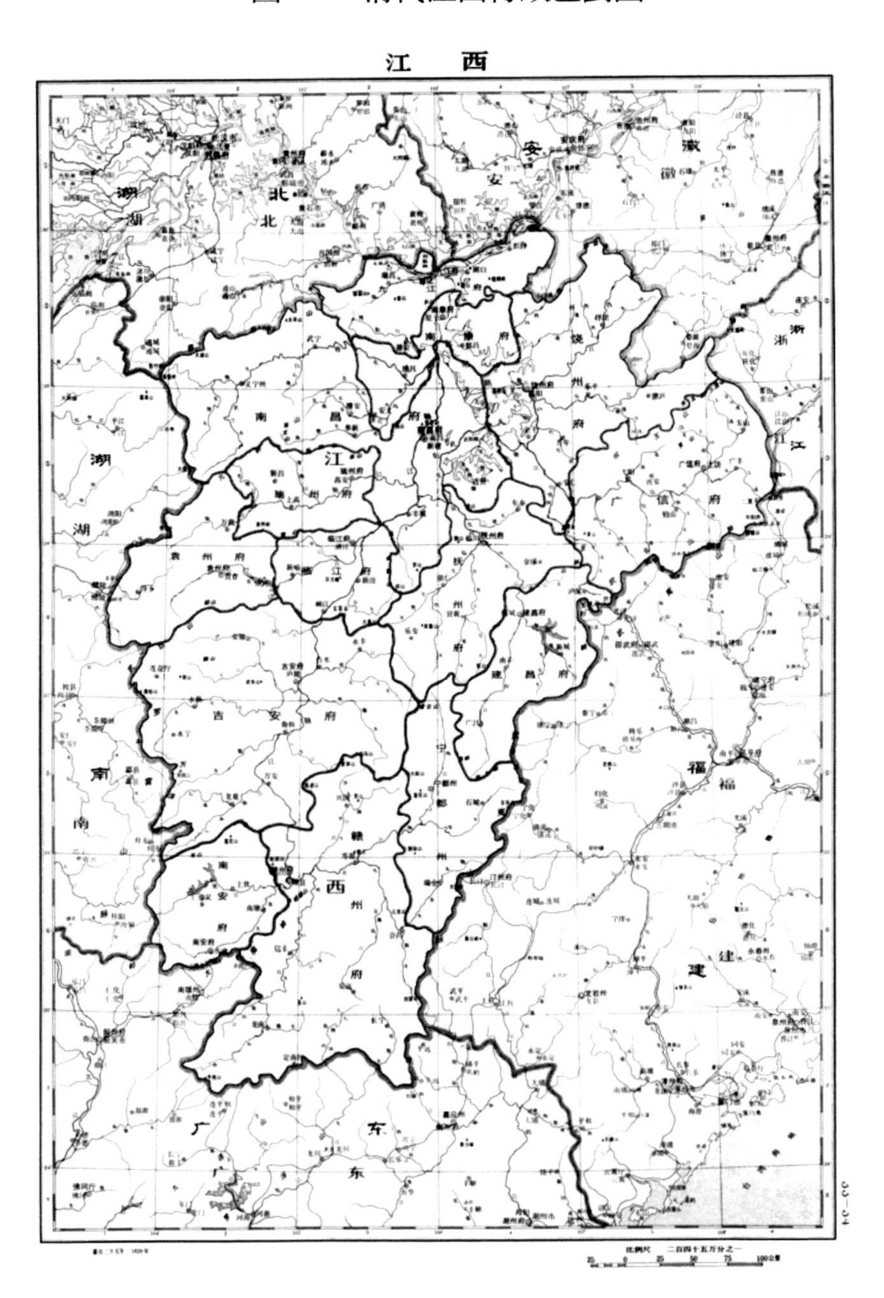

資料來源：修改譚其驤，《中國歷史地圖集》（上海：中國地圖出版社，1985 年），第八冊，頁 33～34。

圖 2-3：清代贛南行政區劃圖

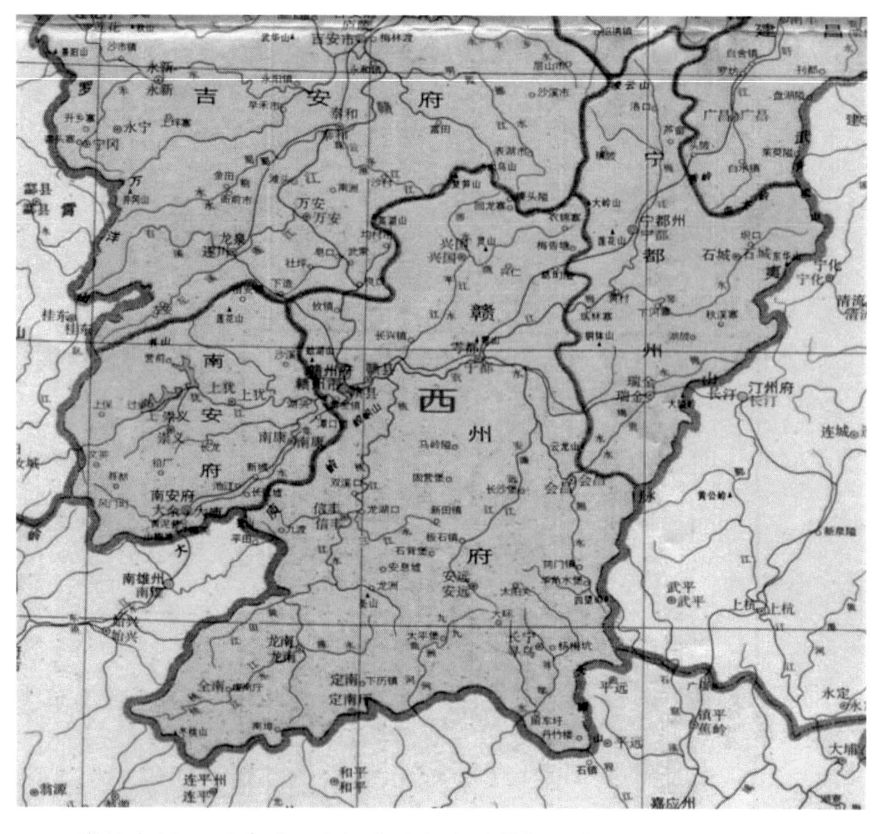

資料來源：譚其驤，《中國歷史地圖集》，頁 33～34。

贛南地處贛江上游，東部有武夷山脈與福建分界，南部是著名的南嶺山脈，大庾嶺與九連山連綿至廣東，西部羅霄山脈的諸廣山與湖南為鄰，而武夷山、南嶺以及羅霄山脈中間有若干隘口，是贛南與鄰省的交通要道，清代就有紀錄：

> 省之南頤，則贛州為一省咽喉，而獨當閩、粵之衝，其出入之路有三，出（廣東）惠州、南雄者，則以南安（府）大庾嶺為出入；由（廣東）潮州者，則以會昌（縣）筠門嶺為出入；由福建汀州者，則以瑞金（縣）隘嶺為出入。〔註 3〕

可見贛南是溝通東南沿海和內陸的重要通道，亦是閩、粵、湘的重要交通樞紐。

〔註 3〕 魏瀛等修、鐘音鴻等纂，《贛州府志》（清同治 12 年刊本影印；臺北：成文出版社有限公司，1970 年），卷 70，〈國朝文・上署江西巡撫包公書〉，頁 32。

其境內有 80%以上的面積是丘陵和山地，形成周高中低、南高於北的地勢，特別是“三南”的龍南、定南和全南三縣，幾乎都是山地。而在山地和丘陵之間，分布著五十幾個大小盆地，江河貫流其中，成輻射狀向中心贛江匯流，兩岸地勢平坦之處以及河谷階地的土壤肥沃，形成主要的農耕地。〔註 4〕其土地利用自古以來有「八山半水一分田，半分道路和莊園」的說法。〔註 5〕

贛南地處中亞熱帶南緣，緯度偏低，距海不遠，氣候溫暖，光照充足，春夏之交濕潤多雨，且雨量充沛，無霜期長，屬於典型的亞熱帶濕潤季風氣候，利於發展農業。〔註 6〕此地經濟以農業爲主，江西巡撫鄂容安曾於奏摺中上稟皇帝:「江西地方民知重農，凡仰事俯育並公私費用，悉取給於稻穀」。〔註 7〕又歷史上在贛州府有「地界深山長谷，民鮮商販，惟務農力產，以田多寡爲優劣」;在南安府有「民食魚稻，無積聚衣食，取給不憂凍餒」;〔註 8〕在安遠縣有「舊俗質樸，惟以耕稼爲業」〔註 9〕等相關記錄。

與江西北部所屬的「水稻豆麥區」不同，18 世紀此地稻作屬於「水稻雙穫區」(詳見圖 2-4)，栽種早禾收割後，接種晚禾的雙季連作稻，稻類從栽種時間上分早中晚三種。

> 早稻，春種夏收；中稻，春種秋收；晚稻，於刈早稻後下種，十月始收。(稻) 種雖有三，實二收而已。其氣候不齊之鄉，再收不過菽芋之屬，無晚稻也。〔註 10〕

另外在山區，還有雙季間作稻的耕作型式，栽培方法是早稻之中插入晚

〔註 4〕黃志繁，《“賊”“民”之間——12～18 世紀贛南地域社會》(北京：三聯書店，2006 年)，頁 16～21。

〔註 5〕施由明，〈清代贛南的農業經濟〉，《農業考古》，1989 年第 1 期，頁 165。

〔註 6〕施由明，《明清江西社會經濟》(南昌：江西人民出版社，2005 年)，頁 14～15。

〔註 7〕國立故宮博物院編，《宮中檔乾隆朝奏摺》(臺北：國立故宮博物院，1982 年)，第 4 輯，乾隆 17 年 11 月 22 日，頁 388。

〔註 8〕謝旻等修、陶成等纂，《江西通志》(清雍正 10 年刊本影印；臺北：成文出版社，1989 年)，卷 26，〈風俗〉，頁 24。于成龍等修、杜果等纂，《江西通志》(清康熙 22 年刊本影印；臺北：成文出版社，1989 年)，卷 8，〈風俗〉，頁 65。

〔註 9〕朱扆等修、林有席等纂，《贛州府志》(清乾隆 47 年刊本影印；臺北：成文出版社，1989 年)，卷 2，〈風土〉，頁 44。

〔註 10〕李本仁修、陳觀酉等纂，《贛州府志》(清道光 28 年刊本影印；臺北：成文出版社，1989 年)，卷 21，〈物產〉，頁 2。

稻，早禾刈去後，鋤理培壅晚禾，收其再熟。第一季稻多在二、三月播種，五至七月收穫，第二季稻通常在八到十月收穫，除了水稻兩穫，農民還在兩季水稻之後種植番薯，或種二麥、油菜、豆類等越冬作物，形成一年三獲制。（詳見圖 2-5）〔註 11〕

圖 2-4：十八世紀中國糧食作物分布區域圖

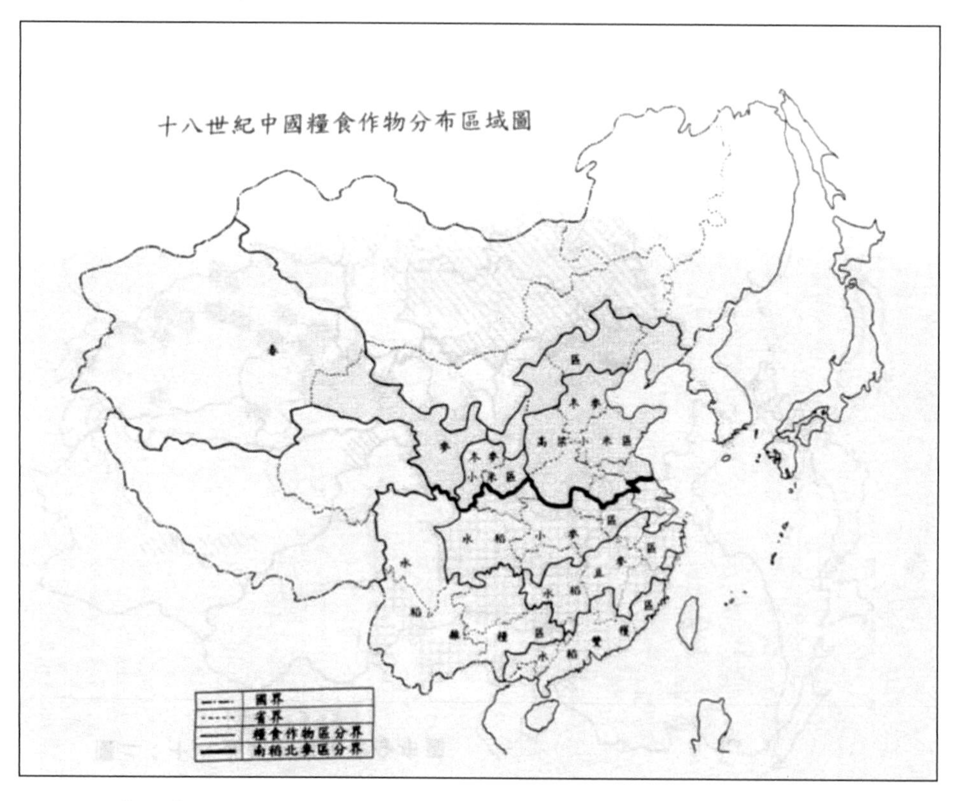

資料來源：王業鍵、黃翔瑜、謝美娥，〈十八世紀中國糧食作物的分布〉，《清代經濟史論文集》，第 1 冊，頁 77。

〔註 11〕「…除奉新、萍鄉、萬載、崇義、定南、興國、安遠等七廳向不佈種二麥外…」《宮中檔乾隆朝奏摺》，第 51 輯，乾隆 47 年 4 月 6 日，頁 379。王業鍵、黃翔瑜、謝美娥，〈十八世紀中國糧食作物的分布〉，《清代經濟史論文集》，第 1 冊，頁 90。

圖 2-5：十八世紀江西省作物生長季節與輪作制度表

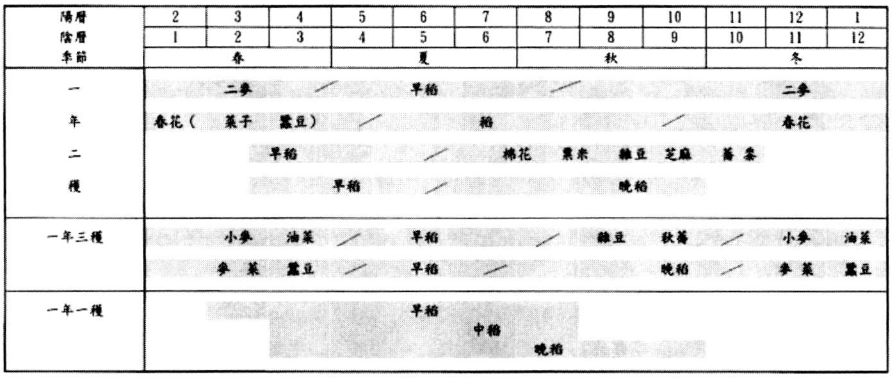

陽曆	2	3	4	5	6	7	8	9	10	11	12	1
陰曆	1	2	3	4	5	6	7	8	9	10	11	12
季節	春			夏			秋			冬		
一年二種		二麥	／		早稻		／				二麥	
	春花（	菜子	蠶豆）	／		稻			／		春花	
			早稻		／	棉花	粟米	綠豆	芝麻	蕃薯		
				早稻	／			晚稻				
一年三種		小麥	油菜	／	早稻		／	綠豆	秋蕃	／	小麥	油菜
		麥 菜	蠶豆	／	早稻	／			晚稻	／	麥 菜	蠶豆
一年一種					早稻	中稻	晚稻					

說　明：　／表換季　早稻 3-4 月插秧，5 月下旬至 7 月中旬收穫；晚稻 4-6 月插秧，8 月至 10 月中旬收穫；雙季稻於 3-5 月種早稻，6-9 月種晚稻。

資料來源：王業鍵、黃翔瑜、謝美娥，〈十八世紀中國的輪作制度〉，《清代經濟史論文集》，第 1 冊。「附錄：十八世紀各省作物生長季節與輪作制度表」，表 13。（附錄爲作者謝美娥提供）。

明代正德年間，南贛都御史周南，曾紀錄贛南地區農業經濟的繁榮景象：

> 惟南贛地方，田地山場坐落開曠，禾稻竹木生殖頗蕃，利之所在，人所共趨。吉安等府各縣人民平常前來謀求生理，結黨成群，日新月盛。〔註 12〕

清代的贛南地區延續明代稻禾生產豐饒的趨勢，江西成爲清朝徵收漕糧的重要省區，每年在江西徵糧 89 至 96 萬石不等，運出的糧食占全國總量的一至二成。〔註 13〕江西所產的米穀，以贛南產糧最多，有「田腴民勤，最稱富饒」、「其細民勤生力田，以致蓋藏」之稱。〔註 14〕即使江西北部南康、九江、廣

〔註 12〕謝旻，《江西通志》（清文淵閣四庫全書本：中國基本古籍庫），卷 117，周用〈乞專官分守地方疏〉，頁 3408。

〔註 13〕順治 18 年（1661），輸出 938,753 石，排全國第 3 位；乾隆 31 年（1766），輸出 898,936 石，排全國第 3 位；嘉慶 25 年（1820），輸出 962,886 石，排全國第 2 位。陳榮華、余伯流、鄒耕生、施由民，《江西經濟史》（南昌：江西人民出版社，2004 年），頁 426。康熙 24 年（1685），輸出 925,423 石，佔全國 21.37%；乾隆 18 年（1753），輸出 899,632 石，佔全國 10.7%；嘉慶 25 年（1820），輸出 962,886 石，佔全 13%。許懷林，《江西史稿》（南昌：江西高校出版社，1993 年），頁 574。

〔註 14〕李本仁修、陳觀酉等纂，《贛州府志》，卷 20，〈風俗〉，頁 1。余光壁纂修，《江西省大庾縣志》（清乾隆 13 年刻本影印；臺北：成文出版社有限公司，1989 年），卷 2，〈土俗〉，頁 14。

信、饒州等四府於乾隆 16 年歉收，贛南地區仍有可以供應：

> 南安、贛州二府屬倉穀充裕，且現有存倉溢穀，已行令酌播協濟，使民食藉以有資。〔註 15〕
>
> 十一邑產穀之區，連舫建瓴下於贛郡，郡與省會旁郡盱吉，頗仰資南流下者。〔註 16〕
>
> 下游飢，米穀順流而下者不下六七十萬石。……吉安民缺食，巡道文翼委員發穀數千石濟之。〔註 17〕

可見江西南部糧食運銷北部，實屬常態，尤其江西省主要河流贛江、錦江、武陽水等都是發源於贛南向北注入鄱陽湖，也方便南糧北運。除漕糧及省內糧食供應，另外江西還要運銷大量糧食到江、浙、閩、粵、皖五省。每年糧食運往江浙，主要是從江西北部經由鄱陽湖入長江，沿長江順流而下至長江下游及浙江地區，有「廣東之米取給於廣西、江西、湖廣，而江浙之米皆取於江西、湖廣，此數省之米，苟無阻滯，歲歲流通，源源不絕，小民雖遇歉收，尚不致於乏食」。〔註 18〕再向北沿昌江可通往安徽歙縣，當地情況「山多田少，所出米穀即年歲豐稔，亦僅供數月民食，每每仰給鄰封江西、浙江等處販運接濟。」〔註 19〕這些地區的米穀轉運，部分勢必倚靠贛南所生產的稻米來填補；而贛南的大部分米糧則是供應鄰近的福建、廣東省，沿贛江上游支流貢水、章水而後再改爲陸運，所謂「贛爲兩粵門戶，章、貢二水商賈往來，舳艫日未嘗絕」。〔註 20〕米糧運銷外省再帶回江南的絲布、徽州的木材、廣東的鹽返銷江西。〔註 21〕

〔註 15〕國立故宮博物院編，《宮中檔乾隆朝奏摺》，第 2 輯，乾隆 17 年 3 月 4 日，頁 382。

〔註 16〕黃德溥等修、褚景昕等纂，《贛縣志》（清同治 11 年本影印；臺北：成文出版社有限公司，1989 年），卷 49 之 11，〈文徵•喜豐堂記〉，頁 42。

〔註 17〕魏瀛等修、鐘音鴻等纂，《贛州府志》，卷 22，〈祥異〉，頁 10。

〔註 18〕中國第一歷史檔案館編，《雍正朝漢文硃批奏摺彙編》（江蘇：江蘇古籍出版社，1991 年），第 7 冊，雍正 4 年 7 月 20 日，〈鎮海將軍何天培奏請嚴禁內地產米之省結黨遏糴摺〉，頁 722。

〔註 19〕石國柱等修、許承堯纂，《安徽省歙縣志》（民國 26 年鉛印本影印；臺北：成文出版社有限公司，1975 年），卷 15，〈藝文奏疏•惠濟倉題疏〉，頁 5。

〔註 20〕黃德溥等修、褚景昕等纂，《贛縣志》，卷 19，〈關榷〉，頁 1。

〔註 21〕陳支平，〈清代江西的糧食運銷〉，《江西社會科學》，1983 年第 3 期，頁 116～118。鄧亦兵，〈清代前期的糧食運銷和市場〉，《清代前期商品流通研究》（天津：天津古籍出版社，2009 年），頁 103。

贛南作爲重要的米穀產地，米糧又是最主要的貿易商品，從行政區劃、地理位置、稻作生產、米糧流通都把贛南視爲一個區域，但筆者認爲可以再進一步使用量化史料，亦即稻米的價格資料，分析米價變動，檢測贛南是否自成一個經濟圈，亦即贛南內部市場的整合程度。

第二節　贛南的米價數據及其可靠性

在清代前期的米價資料中，占最大部分的是奏摺中所報告的各地米價。從康熙後期（1662～1722）開始的糧價陳報制度，至乾隆初期（1736～1795）已臻完備。制度的設立是爲了反映各地糧食的供需情形，當某地糧食短缺時，政府可及時採取救濟行動，預防可能發生的動亂，以此作爲維持社會秩序的重要措施。另一方面，政府的軍需、河工、倉穀的出糶或入糴，各衙門書吏員役等財政支出及收入都直接與糧價相關，因此清代歷朝皇帝相當重視糧價報告。〔註 22〕

一、贛南米價數據來源

官方糧價陳報來源有兩種形式：一種稱爲「經常報告」（Regular Report），經由縣——府（州）——省的程序，由縣級政府蒐集市集糧價後，旬報或月報給府（州）級政府查核及綜合，府（州）級政府再呈報給省級政府，再次確認查核後，由布政使月報給總督、巡撫，再由督撫每月向皇帝奏呈，而布政使還需編製一份州縣糧價細冊給戶部。呈報給皇帝的糧價清單通常附在奏摺後，主要內容包含全省各地一個月來的天氣情況、雨水、農作物生長及收成狀況、民數穀數等各種商情民情、某糧食作物的最高和最低價、倉儲及採買等訊息，這種例行性的糧價陳報，通常被稱爲雨雪（水）糧價摺。又由於各地度量衡的差異，地方官員謄寫價格時，已將當地通行的銀兩單位（市平）和容積單位（市石），換算成官方所使用的標準單位（倉平、倉石），並註明庫平銀一兩匯兌制錢的比率，或分別列出以銀和以錢表示的糧食價格，最後再將糧價與上旬比較，標明價格是否增加或減少，抑或持平。第二種稱爲「不

〔註 22〕陳春聲，〈清代的糧價奏報制度〉，《市場機制與社會變遷——18 世紀廣東米價分析》（臺北：稻鄉出版社，2005 年），頁 293～294。探討糧價呈報制度的相關論文還有：劉嵬，〈清代糧價折奏制度淺議〉，《清史研究通訊》，1984 年第 3 期，頁 16～19。呂慶鐘，〈論清代前期糧食調劑信息的收集〉，《吉安師專學報》，第 18 卷第 2 期（1997 年 6 月），頁 8～12。

規則報告」(Special Report),來自有上奏特權的官吏,將駐紮地區或巡視地區所訪得的糧價隨時奏報的報告,奏報者不限文、武職,奏報格式和期限也沒有限定,是向皇帝奏事或請安時順便的報告,主要作用在於對經常性報告的眞實性提供檢驗。〔註 23〕

這兩種奏報方式的糧價原始文件就是就是現存清代官員的雨水糧價奏摺與糧價清單副件,以及與奏事相關的皇帝硃批、錄副抄本,分別典藏在大陸北京第一歷史檔案館及臺北國立故宮博物院。〔註 24〕王業鍵耗費了數十年的努力,將第一歷史檔案館發行的《宮中糧價單》微捲,以及臺北故宮典藏的所有糧價清單,建成「清代糧價資料庫」,糧價資料從乾隆元年(1736)至光緒 20 年(1894),提供學者網路檢索。資料庫內容包含時間(已轉換爲西曆)、地區(省、府)、糧食品種及類別、價格(含高、低價)。在檢索之前可先查閱附於網頁上的各省行政區代碼及糧食種類代碼。〔註 25〕

此外,還有 1930 年代湯象龍領導的研究小組,從戰前北京故宮博物院所藏原始奏摺中,整理道光元年(1821 年)到宣統三年(1911 年)間各省的月報糧價,抄錄成表格化的紙本資料,俗稱「抄檔」。藏於北京中國社會科學院經濟研究所,數量近 9000 頁,已出版成《清代道光至宣統間糧價表》,共 20 冊。〔註 26〕此批檔案近年也由王業鍵與典藏單位合作,已建立成電子數據庫,北京社科院經濟所稱爲「清代糧價數據庫」,但因建檔格式問題,未與「清代糧價資料庫」合併。〔註 27〕

〔註 23〕王業鍵、黃國樞,〈清代糧價的長期變動(1763～1910)〉,《經濟論文》,第 9 卷第 1 期(1981 年 3 月),頁 1～27。王業鍵,〈清代的糧價陳報制度及其評價〉,見王業鍵,《清代經濟史論文集》,第 2 冊,頁 4～5。

〔註 24〕臺北故宮博物院已編輯出康熙、雍正、乾隆、嘉慶、道光、咸豐、光緒朝的宮中檔,軍機處檔(奏摺錄副、糧價清單原件)也有原件影本,並自 1996 年開始進行檔案數位化處理,目前已完成「清代宮中檔奏摺及軍機處檔摺件全文影像資料庫」(網址:http://www.npm.gov.tw/gct.htm)。北京第一歷史檔案館編輯康熙、雍正朝滿漢文硃批、《雍正朝漢文諭旨匯編》、《乾隆朝上諭檔》、《嘉慶道光兩朝上諭檔》、《咸豐同治兩朝上諭檔》,《光緒宣統兩朝上諭檔》;奏摺錄副(筆者按:奏摺批閱後,類似今日的公文歸檔)已數位化、糧價清單則早已製成微捲。

〔註 25〕「清代糧價資料庫」簡介(網址 http://140.109.152.38/DBIntro.asp)。

〔註 26〕王硯峰,〈清代道光到宣統間糧價資料概述——以中國社科院經濟所圖書館館藏爲中心〉,《中國經濟史研究》,2007 年第 2 期,頁 103、108～109。

〔註 27〕王業鍵,〈中央研究院主題研究計畫執行成果報告書:清代糧價的統計分析與歷史考察〉,2001 年,轉引自謝美娥,〈清代物價史研究成果評述〉,未發表,頁 13～14。

本文的糧價數據取自「清代糧價資料庫」，選擇贛南地區 1738～1794 年贛州府、南安府及 1755～1794 年寧都直隸州的糧價月資料。〔註 28〕本文即據之建立時間數列及進行糧價相關分析。十八世紀雖然歷經清朝康熙（1662～1722）、雍正（1723～1735）、乾隆（1736～1795）三朝，但從康熙到雍正，糧價陳報制度還未定型，官員奏報糧價的時間、報告的格式還未統一規定，各地官員或專摺報告糧價，或於奏報其它事情時附帶提及糧價，或僅述通省糧食的最高價與最低價，或將各府州糧價分別條列，導致糧價數據資料或有缺漏，或單位不一，並不一致。這些糧價報告收錄在《雍正硃批諭旨》、《李煦奏摺》、《康熙朝漢文硃批奏摺》、《宮中檔雍正朝奏摺》等已出版的大型檔案彙編中，嚴格說來，僅能視爲「不規則報告」。〔註 29〕本文希望採用經常性報告的資料，避免因爲糧價數據訊息的不完整，而影響後續進行相關分析的結果，故捨去康熙、雍正朝的糧價資料，選擇乾隆 3 年（1738）糧價奏報制度確定之後的米價訊息。又清朝自乾隆皇帝之後，國勢日漸衰微，且糧價奏報制度在道光皇帝以後，由於皇帝並不特別重視，導致某些省份的總督、巡撫開始有稽延奏報情事，其他官員也漸少有附帶奏報糧價之事，因此就數據史料而言，乾隆朝的糧價數據可說是品質最優良的。〔註 30〕

另外，江西省糧價單上所呈現的米價，依照米的品種和品質等級劃分，一般而言分爲上米、中米、下米三種類別，價格也按照上米、中米、下米的等級由高至低，爲了不偏倚極端價格水平的米別起見，本文選擇中米價格作爲研究的數據。

二、米價數據的可靠性評估

筆者利用「清代糧價資料庫」，取得贛南地區贛州府、南安府、寧都直隸州於清朝乾隆時期的米價數據，這些來自官方、具有國家組織調查性質的資料，在統一貨幣、度量衡基礎上完成的定期報告，是二十世紀以前中國歷史

〔註 28〕乾隆十九年（1754 年），寧都縣才升格爲寧都直隸州。

〔註 29〕陳春聲，〈附錄：清代的糧價奏報制度〉，《市場機制與社會變遷——18 世紀廣東米價分析》，頁 294～295。

〔註 30〕陳金陵，〈清朝的糧價奏報與其盛衰〉，《中國社會經濟史研究》，1985 年第 3 期，頁 63～68。王道瑞，〈清代糧價奏報制度的確立及其作用〉，《歷史檔案》，1987 年第 4 期，頁 80～86。

上最爲豐富可靠，且在時間上連續最長的經濟數據資料，極具學術研究價值。〔註 31〕但這些糧價報告的可靠性，可能因地方官員的執行力及勤惰程度等因素而存在著相當大的差異。岸本美緒就曾提及，在東洋文化研究所研讀四川“糧價細冊”發現，幾乎所有縣每個月的價格完全沒有變化，這種數據著實令人錯愕。〔註 32〕可是這也可能是眞實的情況，在資料中，出現連續幾個月的糧價資料數據都沒有改變，是因爲每一筆糧價，只記錄該府（州）當月州內各縣（州）的最高和最低價格，這個數値既不是各縣（州）糧食價格的平均數，也不是一個月內各縣（州）每日或每旬價格的平均數，換句話說，糧價單每一筆糧食價格，表示該府所屬各縣（州）所呈報該種糧食價格的最高和最低價，即該府某種糧食價格的上限和下限，因此前後兩個月中，只要上限和下限未變，其餘報價無論如何變動，如果不超過上、下限幅度，糧價資料中出現連續幾個月的紀錄値不變的情況，就可能是正常的情形。但如果這種價格連續不變的月數持續夠長、頻率夠密時，當然原始資料的可靠性，就有待進一步的檢驗。〔註 33〕

至於資料的完整性方面，所收集的糧價資料紀錄是以月爲單位，有高價、低價之分，原始資料爲銀兩（每倉石價格），紀錄至小數點後兩位，但年代久遠，有些月份的原始資料散失，或發生戰亂而無法上報糧價，因此資料不完整是難以避免的問題。綜上所述，從「清代糧價資料庫」取得的糧價數據，在使用這批數據史料之前，還是應該利用科學的方法，對它進行可靠性評估，目的是要理出可用的糧價，以便製成糧價「原始資料」（Raw Data），經過檢驗的糧價資料，才是有意義的數據，才能期望由數據獲得具體有用的結果。〔註 34〕

首先是考察贛州府、南安府、寧都直隸州各府中米高價及低價，這六個米價數列的遺漏値比率。在「清代糧價資料庫」中糧價清單的糧價數據，有些年份可能整年都沒有資料、或者某年的價格月份不足十二個月。缺乏價格

〔註 31〕王業鍵、陳仁義、溫麗平、歐昌豪，〈清代糧價資料之可靠性檢定〉，王業鍵，《清代經濟史論文集》，第 2 冊，頁 289。

〔註 32〕岸本美緒著，劉迪瑞譯，《清代中國的物價與經濟波動》（北京：社會科學文獻出版社，2010 年），頁 6。

〔註 33〕陳仁義、王業鍵，〈統計學在歷史研究上的應用：以清代糧價爲例〉，《興大歷史學報》，第 15 期（2004 年 10 月），頁 16。

〔註 34〕王業鍵、陳仁義、溫麗平、歐昌豪，〈清代糧價資料之可靠性檢定〉，王業鍵，《清代經濟史論文集》，第 2 冊，頁 290。

資料的月份，即是遺漏值（Missing Value）。當糧價數列的遺漏值過多，若當成分析經濟變動的依據，結果必然令人疑慮。在使用數據資料前，當然需解決此種情形造成的問題。

遺漏值比率的計算公式如下，表 2-1 是計算後的結果：

遺漏率% ＝｛1－〔有價格月數／（有價格年數×12）〕｝×100

表 2-1：贛南三府（州）中米米價遺漏值比例

	贛州府 中米高價 1738～1794	贛州府 中米低價 1738～1794	南安府 中米高價 1738～1794	南安府 中米低價 1738～1794	寧都州 中米高價 1755～1794	寧都州 中米低價 1755～1794
有價格年數	56	56	56	56	39	39
有價格月數	603	604	604	604	421	421
有價格月數(%)	89.27	89.88	89.88	89.88	89.95	89.95
遺漏率（%）	10.27	10.12	10.12	10.12	10.05	10.05

由表格看來，南安府與寧都直隸州中米高價與低價的缺值月分相同，根據求得的結果得知，贛州府、南安府與寧都直隸州三府，有價格月數比例都接近九成，遺漏值比例只佔一成，顯示資料的遺漏率非常低，品質相當不錯。

其次要進行的是可靠性評估。所謂可靠性評估，是以糧價連續不變月數的比例作爲檢測指標，以此評判糧價資料是否可靠。這是假設陳報糧價的官員，可能未必每次都能認眞蒐集市場糧價，有可能敷衍因循，抄襲上月價格陳報，導致糧價清單的價格長期未有太大變動。在進入糧價的時間數列分析之前，也應考慮避免使用這一類性質的糧價資料。〔註 35〕

可靠性評估的操作方法，是將糧價連續不變月數分成三個群組，算出每一群組的總和月數，第一群組：小於等於三個月，糧價不變月數在三個月以下者，此群組包含三個月價格連續不變月份、二個月價格連續不變及與前後月價格不同的單一一個月份；第二群組：大於等於七個月（不含第三組），糧價不變月數在七到十二個月間；第三群組：大於等於十三個月，糧價不變月數在十三個月以上的月數。另外也找出糧價連續不變月數的最大值，即以連續相同價格陳報的最長月數，作爲輔助參考數值。原則上取得的數據以第一組的比例愈高愈佳，第三組的比例愈低愈理想，這是因考慮到糧價遺漏值月

〔註 35〕遺漏值比率的計算公式及可靠評估的的操作方法，謝美娥，《清代臺灣米價研究》（臺北：稻鄉出版社，2008 年），頁 81～87。

數在一年當中超過六個月的群數，或在未連續的兩筆糧價之間遺漏值月數超過一年以上的群數過多時，將影響時間數列分析的結果。〔註 36〕

表 2-2～2-4 爲清代贛州府、南安府、寧都直隸州三府（州）中米米價連續不變月數比例的檢定結果。如表所示，以糧價不變月數小於等於三個月，糧價不變月數在三個月（含）以下在不含遺漏值總月數所佔的百分比這個群組來看，三個府（州）的中米米價連續不變月數百分比最少有寧都直隸州的五成五，贛州、南安府有六成接近七成的數據。根據陳仁義、王業鍵分析糧價的經驗，數據達七成以上，配合較低的遺漏率，就可提供相當可靠的統計分析資料，因此表示數據資料的品質不錯，可以接受使用；〔註 37〕又三個府（州）的高價百分比都比低價來的高，顯示高價的可靠性相對比低價高，但並不表示低價數列不可靠。

再看中米米價大於等於十三個月，糧價不變月數在十三個月以上的月數這個群組，各府的高價百分比都比低價來的低，再度顯示高價的可靠性比低價較高，與糧價不變月數小於等於三個月這個群組的結果相呼應，且三府（州）的米價數值不論高、低價的百分比都低於 2.5%，甚至爲 0%，這個群組的數據愈低愈好，檢測後的數據結果頗令人滿意。另外參考糧價連續不變月數的最大值，即以連續相同價格陳報的最長月數，不論米價的高價或低價的結果，發現贛州府和南安府從 1738 至 1794 年都未超過 15 個月，寧都直隸州從 1755 至 1794 年也未超過 11 個月，顯見經評估後的可靠性極佳，無論是高價或低價，都可以接受作爲筆者作爲統計分析糧價的「原始資料」（Raw Data）。

表 2-2：贛州府中米米價連續不變月數比例

項　目	年　代	中米高價			中米低價		
		米價連續不變月數	有價格月　數	百分比	米價連續不變月數	有價格月　數	百分比
小於等於 3 個月	1738～1794	441	604	73.01	376	603	62.34
大於等於 7 個月	1738～1794	60	604	9.93	51	603	8.46
大於等於 13 個月	1738～1794	0	604	0	15	603	2.49
糧價連續不變月數最大值	1738～1794	9			15		

〔註 36〕王業鍵、陳仁義、溫麗平、歐昌豪，〈清代糧價資料之可靠性檢定〉，王業鍵，《清代經濟史論文集》，第 2 冊，頁 300～301。

〔註 37〕陳仁義、王業鍵，〈統計學在歷史研究上的應用：以清代糧價爲例〉，頁 18。

表 2-3：南安府中米米價連續不變月數比例

項　目	年　代	中　米　高　價			中　米　低　價		
		米價連續不變月數	有價格月　數	百分比	米價連續不變月數	有價格月　數	百分比
小於等於 3 個月	1738～1794	445	604	73.68	360	604	59.60
大於等於 7 個月	1738～1794	30	604	5.30	86	604	14.24
大於等於 13 個月	1738～1794	0	604	0	15	604	2.48
糧價連續不變月數最大値	1738～1794	9			15		

表 2-4：寧都直隸州中米米價連續不變月數比例

項　目	年　代	中　米　高　價			中　米　低　價		
		米價連續不變月數	有價格月　數	百分比	米價連續不變月數	有價格月　數	百分比
小於等於 3 個月	1755～1794	235	421	5.82	234	421	5.58
大於等於 7 個月	1755～1794	79	421	8.76	98	421	3.28
大於等於 13 個月	1755～1794	0	421	0	0	421	0
糧價連續不變月數最大値	1755～1794	10			11		

三、贛南三府（州）米價遺漏值的補値

贛南三府（州）米價數據經過可靠性評估後，顯示其可靠性極高，但糧價「原始資料」中有某些月份糧價呈現缺漏的狀態，因此需要處理遺漏值的問題。對於遺漏值的補値，筆者分成兩個步驟處理，首先針對一年中遺漏月份小於等於六個月的數値進行補插，使用的方法爲內插外推法（Interpolation and Extrapolation）。〔註 38〕其次運用季節指數調整法，將一年中遺漏月月數大於六個月者（不含六個月）予以調整，此方法是經濟史家常用的方法。此法消除了時間數列中長期趨勢、循環變動和不規格變動等因素，得出季節變動指數。季節變動指數可以測定時間數列的季節變動，倘若季節變動指數爲 100，即表示此時期沒有季節變動。〔註 39〕而糧食作物受到耕作制度、生長季

〔註 38〕謝美娥，《清代臺灣米價研究》，頁 94。
〔註 39〕張紘炬，《統計學》（臺北：華泰書局，1986 年），頁 532～548。

節及米糧流通運輸（例如河道的豐水期與枯水期、海運的季風變化）、市場供需量等因素影響，應該呈現季節變動。〔註 40〕

求取季節指數的具體做法爲先選取贛州府、南安府、寧都直隸州 1764～1771 年的米價數據，因爲這段時間的米價資料較完整，完全沒有缺漏。又由於各府（州）的米價資料分爲高價、低價，此處將各府（州）中米米價每月的高價、低價的年平均價加以平均，以此求得季節指數，如表 2-5。

表 2-5：贛州府、南安府、寧都直隸州的 1764～1771 季節指數

月　分	1	2	3	4	5	6	7	8	9	10	11	12
贛州府季節指數	95	99	101	106	107	106	105	100	96	96	95	94
南安府季節指數	98	99	100	102	104	105	104	101	98	97	96	96
寧都州季節指數	97	98	100	103	105	104	103	101	99	98	97	97

圖 2-6：贛州、南安府、寧都直隸州的 1764～1771 季節指數示意圖

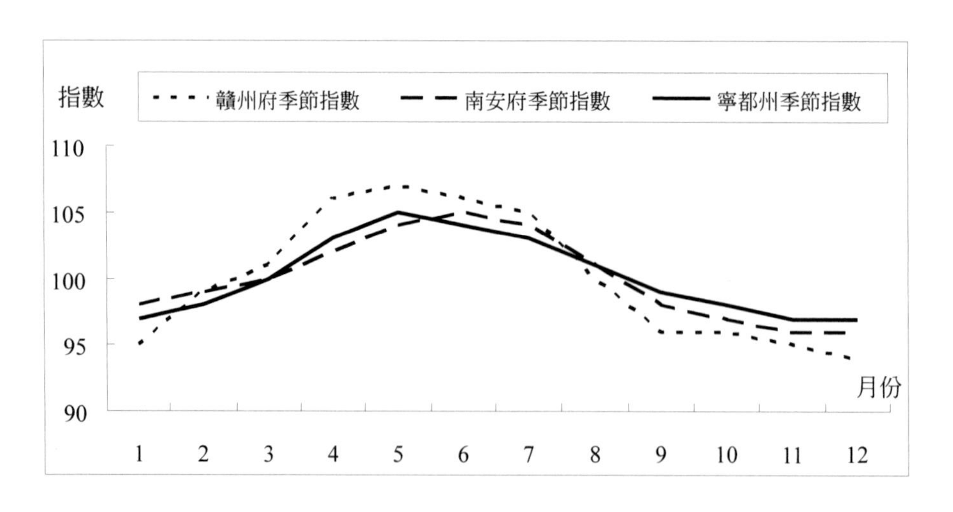

自古向來有「春耕、夏耘、秋收、冬藏」以及「青黃不接」等俗諺，表

〔註 40〕此法陳春聲研究廣東米價、謝美娥研究臺灣米價都曾使用。陳春聲，《市場機制與社會變遷——18 世紀廣東米價分析》，頁 125～126。謝美娥，《清代臺灣米價研究》，頁 94～95。

示農村社會的糧食供求有所謂的季節性，秋季通常是糧食供應最充足的時期，其次是冬季，當然這時節的米價相對較低廉，而第一年生產的糧食到第二年春夏之間就消耗得差不多了，所以這個時期的米價往往騰貴，圖 2-6 即顯示出這樣的季節價格變動規律。以下圖 2-7～2-12 爲遺漏值補值前後，贛州府、南安府、寧都直隸州的價格曲線圖。

圖 2-7：贛州府 1738～1794 年的中米米價

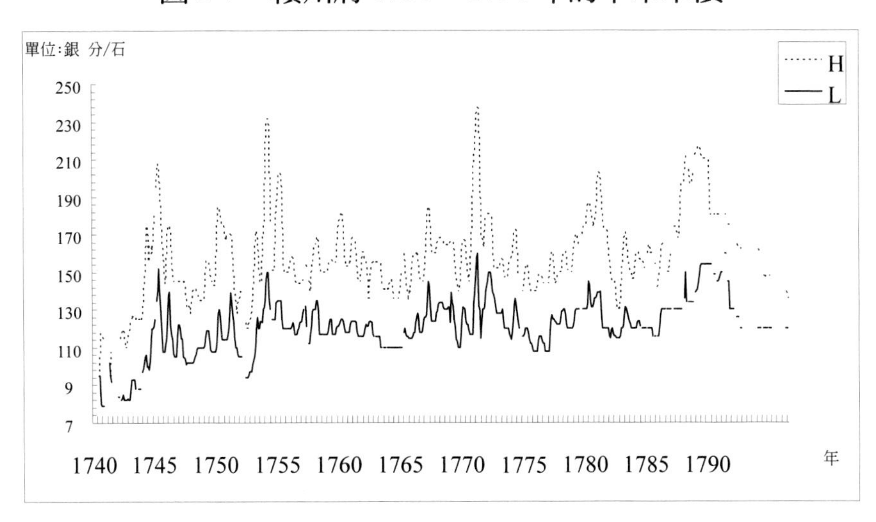

（H：表示中米高價、L：表示中米低價）

圖 2-8：贛州府 1738～1794 年的中米米價遺漏值補值後對照圖

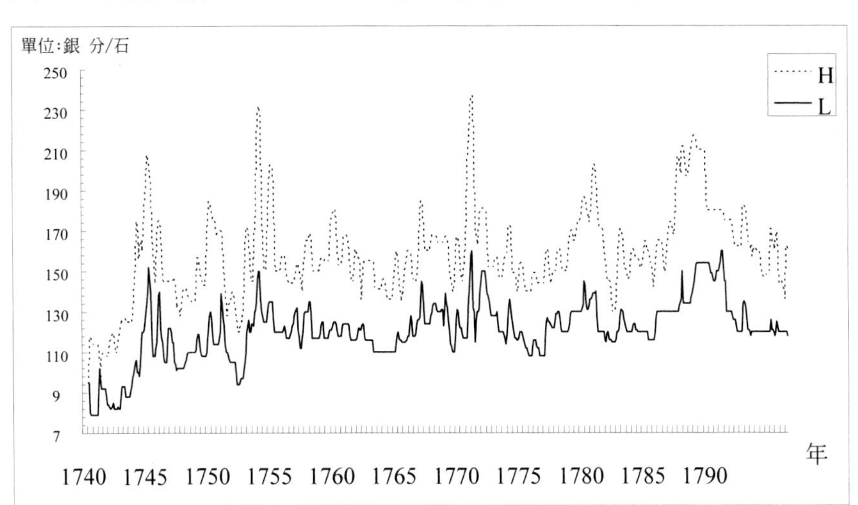

圖 2-9：南安府 1738～1794 年的中米米價

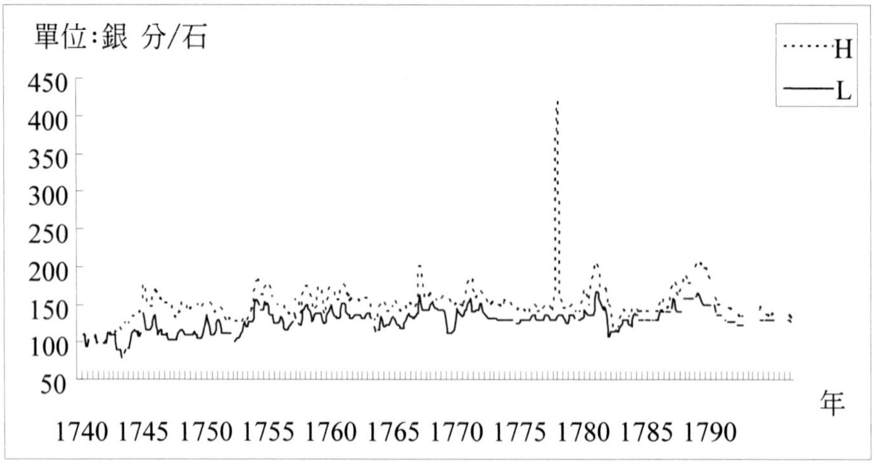

單位:銀 分/石
H
L
450
400
350
300
250
200
150
100
50
年
1740 1745 1750 1755 1760 1765 1770 1775 1780 1785 1790

圖 2-10：南安府 1738～1794 年的中米米價遺漏值補值後對照圖

單位:銀 分/石
H
L
450
400
350
300
250
200
150
100
50
年
1740 1745 1750 1755 1760 1765 1770 1775 1780 1785 1790

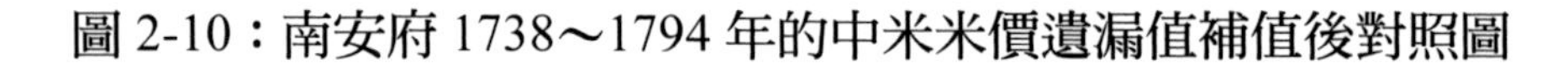

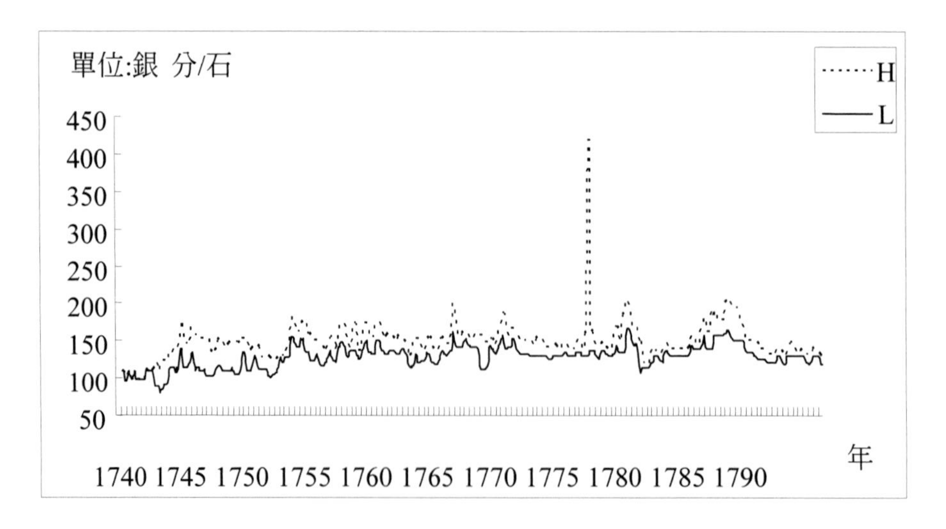

圖 2-11：寧都直隸州 1755～1794 年的中米米價

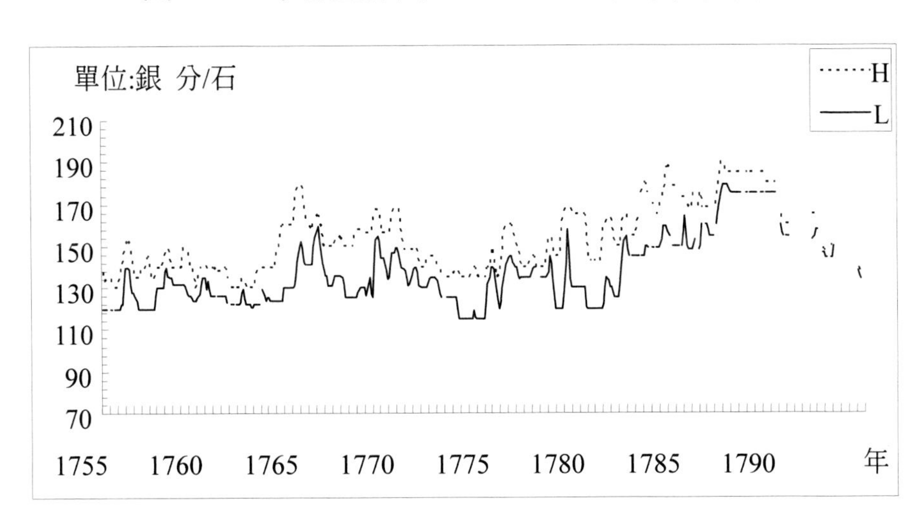

圖 2-12：寧都直隸州 1755～1794 年的中米米價遺漏值補值後對照圖

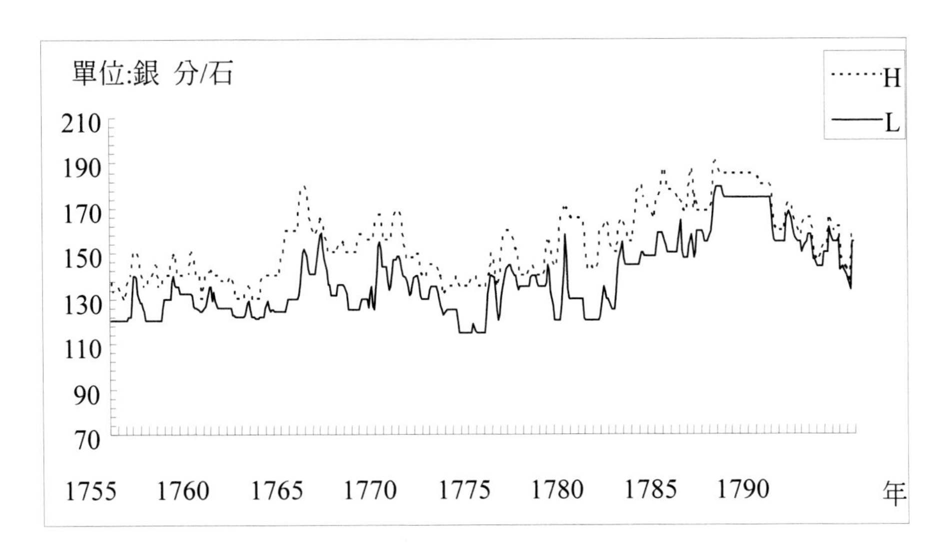

第三章　贛南地區的糧食市場整合

第一節　贛南米價的長期趨勢

本文從「清代糧價資料庫」取得的糧價數據，經過可靠性評估後，已經理出糧價的「原始資料」(Raw Data)，以此建立時間數列並進行相關分析，探究米價的長期變動趨勢。〔註1〕首先，筆者將已補值後的贛州府、南安府、寧都直隸州各府（州）的中米高價及低價兩者平均，計算出年平均價格，圖3-1是三府（州）歷年的平均價格圖示，從該米價數列的年均價格變動，可以看出57年間的價格水平呈現逐漸上升的趨勢。又在此根據米價變動的趨勢，可以將其分成二個時期討論。

第一期爲1741～1781年，第二期從1782～1794年。至於1738～1740年間可明顯看出米價尚屬低廉，不論贛州府或南安府的米價都約在銀100分（或銀1兩）左右，米價至1741年才開始大幅度上升，1738～1740年間的米價變動應屬於前一時期波動循環的一部分，因筆者的糧價數據始於1738年，無法得知1738年前的變動情況，因此先暫時排除這部分的分期。第一期的米價從1741年贛州府銀106分、南安府銀104分開始上升後，期間米價雖有幾次下降趨勢，但米價的最低點再也無法如1741年之前的價格低廉，不過此時期的米價大致上是呈現持續平穩上升的情況，而米價的升降趨勢，可區分成4個

〔註1〕長期趨勢是時間數列資料中、長期性的移動趨勢，就平均數而言，每年以固定數值增加時，可以直線來表示它的長期趨勢。張紘炬，《統計學》（臺北：華泰書局，1986年），頁524。

完整的價格峰谷變化，1741～1750 年爲一完整的價格峰谷變化，1751～1762 年、1763～1774 年、1775～1781 年爲另外三個價格峰谷變化。第二期的米價從 1782 年後更加昂貴，有一波較大的上升趨勢，米價在 1787～1788 年間來到最高點，分別爲 1787 年贛州府米價銀 179 分、南安府米價銀 178 分及 1788 年寧都直隸州米價銀 180 分，之後米價又再下降，直到乾隆朝結束。再由 10 年移動平均來觀察（表 3-1、圖 3-2），可在剔除循環變動的因素影響下，看出米價長期是呈現緩慢上升的趨勢。〔註 2〕

接著以最小平方法求取米價的長期趨勢。〔註 3〕表 3-2 是 1738～1794 年贛州府、南安府及 1755～1794 年寧都直隸州中米年平均米價及其長期趨勢值，圖 3-3 爲其年平均米價和趨勢值的圖示。

如圖 3-3 所示，無論哪一種米價數列，其價格變動的總趨勢皆爲上升，從長期趨勢的曲線變化，可看出寧都直隸州米價的上升幅度較大。長期趨勢的曲線變化程度，需以斜率決定，贛州府、南安府及寧都直隸州三個米價數列的斜率分別爲 0.57、0.45、0.9，三個值都是正值，意即三種米價數列分別每年平均上升銀 0.57 分、0.45 分、0.9 分，以長時間而言，米價增加速度並不算快，可說是平緩地上升。價格水平也是寧都直隸州較高，此需以數列的截距來看，贛州府、南安府及寧都直隸州三個米價數列的截距分別爲銀 138.35 分、138.30 分、146.40 分，分別是三種米價數列在其斷限期間的平均米價。〔註 4〕寧都直隸州的平均價格比贛州府和南安府高出許多。

〔註 2〕筆者所做 10 年移動平均，爲遷就寧都直隸州糧價數據，故原始資料取自 1755 年至 1794 年。

〔註 3〕張紘炬，《統計學》，頁 525～531。贛州府趨勢線 Y'1838－1894＝138.35＋.0.57t。南安府趨勢線 Y'1838－1894＝138.30＋.0.45t。寧都直隸州趨勢線 Y'1855－1894＝146.40＋.0.9t。t 值皆代表時間。

〔註 4〕長期趨勢的斜率與截距的解釋。謝美娥，〈19 世紀淡水廳、臺北府的糧食市場整合研究〉，淡江大學歷史學系主辦，「第 5 屆淡水學國際學術研討會」，臺北：淡江大學，2010 年 10 月 15～16 日，頁 27。

圖 3-1：1738～1794 年贛州府、南安府及 1755～1794 年寧都直隸州年平均米價

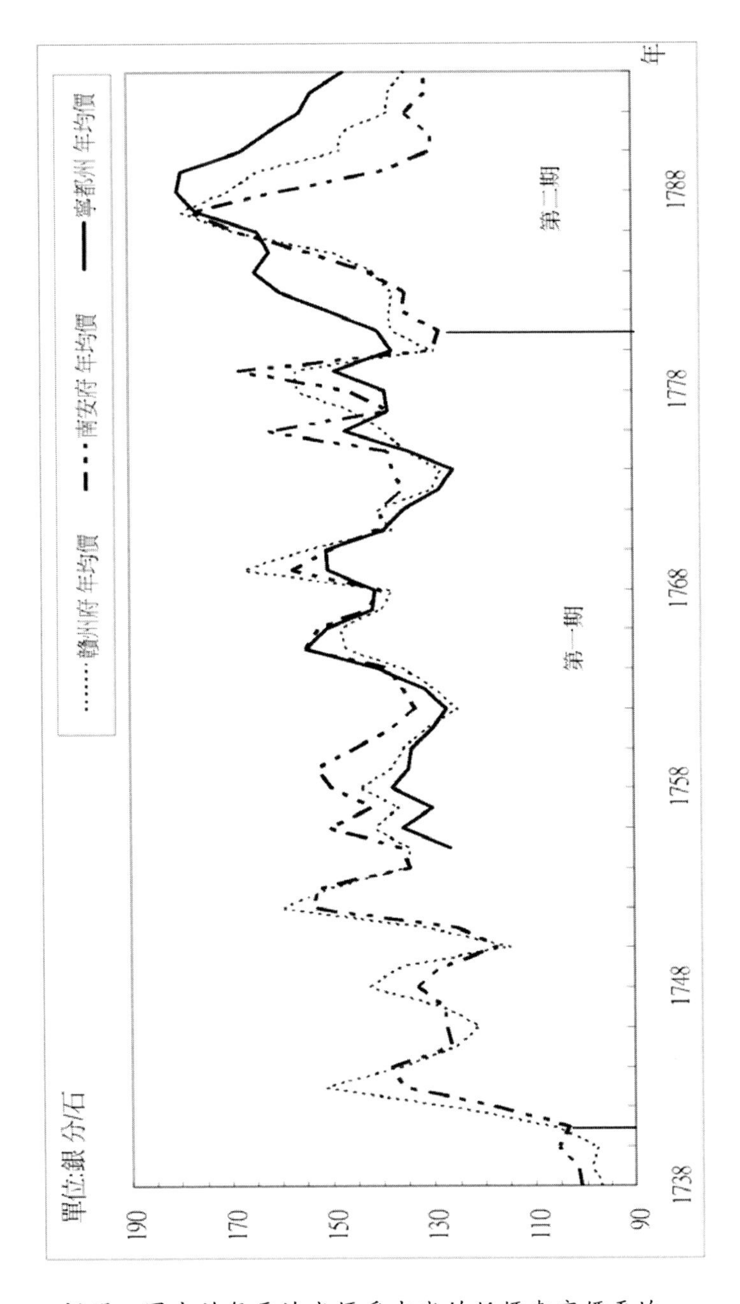

說明：圖中的年平均米價為中米的低價與高價平均。

表 3-1：贛州府、南安府、寧都直隸州米價 10 年移動平均值

年	贛州府	南安府	寧都州	年	贛州府	南安府	寧都州
1760	135	142	133	1776	140	144	137
1761	136	144	136	1777	140	142	138
1762	137	144	137	1778	139	142	139
1763	137	144	138	1779	140	142	142
1764	137	143	139	1780	142	142	146
1765	139	144	140	1781	143	144	149
1766	141	144	142	1782	146	145	151
1767	142	144	143	1783	149	148	154
1768	144	145	144	1784	151	150	158
1769	144	145	143	1785	151	147	161
1770	143	145	142	1786	153	147	164
1771	142	143	140	1787	154	147	167
1772	141	144	139	1788	154	147	167
1773	141	144	139	1789	154	147	166
1774	143	145	139	1790	154	146	165
1775	142	146	139			單位：銀 分/石	

圖 3-2：贛州府、南安府、寧都直隸州 10 年移動平均（1760～1790）

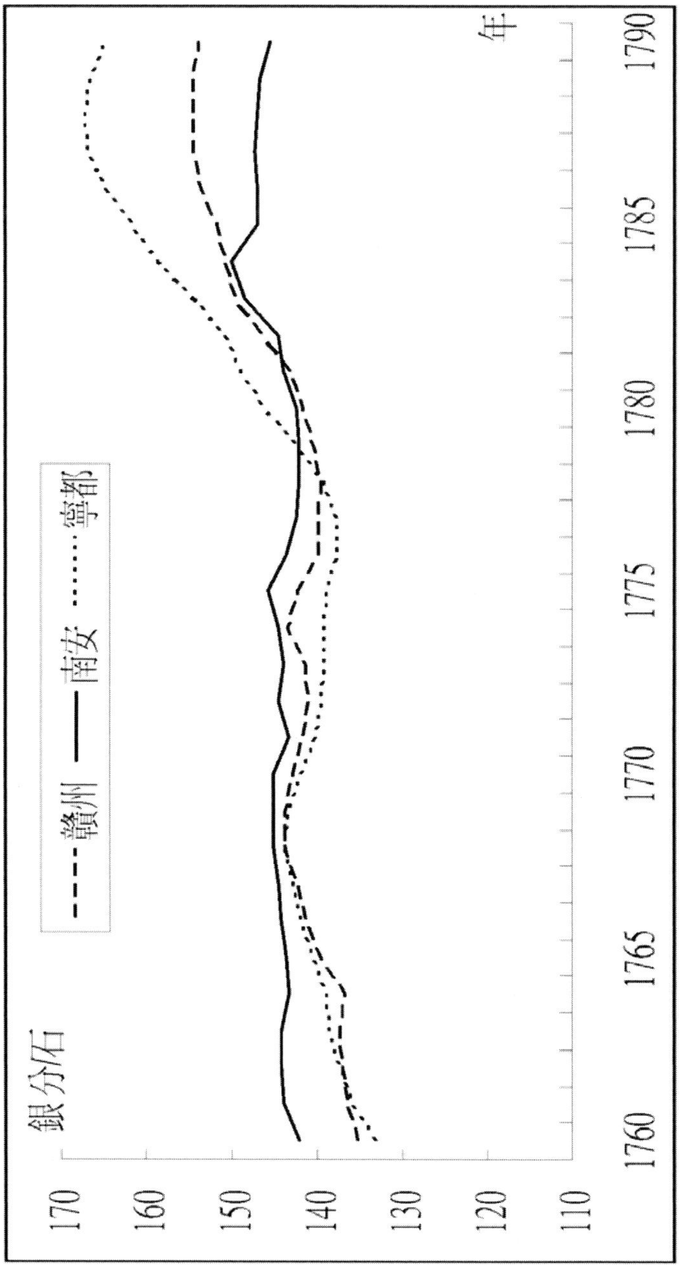

資料來源：表 3-1。

表 3-2：1738～1794 年贛州府、南安府及 1755～1794 年寧都直隸州中米年平均米價及其長期趨勢值

年	贛州府年均價	贛州府趨勢值	南安府年均價	南安府趨勢值	寧都州年均價	寧都州趨勢值
1738	97	122	101	125		
1739	99	122	102	126		
1740	98	123	105	126		
1741	106	124	104	127		
1742	127	124	118	127		
1743	151	125	136	128		
1744	136	125	138	128		
1745	126	126	127	129		
1746	121	127	128	129		
1747	128	127	128	130		
1748	143	128	133	130		
1749	136	128	128	130		
1750	115	129	117	131		
1751	130	130	125	131		
1752	159	130	154	132		
1753	150	131	153	132		
1754	135	131	135	133		
1755	134	132	136	133	127	129
1756	142	132	151	134	136	130
1757	137	133	142	134	130	131
1758	144	134	150	135	138	132
1759	138	134	153	135	135	132
1760	136	135	145	136	134	133
1761	131	135	138	136	130	134
1762	125	136	133	136	127	135
1763	129	137	136	137	132	136
1764	135	137	138	137	141	137
1765	147	138	155	138	155	138
1766	148	138	153	138	151	139

年	贛州府年均價	贛州府趨勢值	南安府年均價	南安府趨勢值	寧都州年均價	寧都州趨勢值
1767	140	139	143	139	142	140
1768	138	140	140	139	141	141
1769	167	140	158	140	150	141
1770	154	141	150	140	151	142
1771	138	141	141	141	139	143
1772	140	142	140	141	136	144
1773	130	142	136	142	129	145
1774	128	143	138	142	126	146
1775	134	144	139	142	134	147
1776	139	144	162	143	147	148
1777	145	145	138	143	139	149
1778	156	145	146	144	139	150
1779	157	146	168	144	149	150
1780	129	147	130	145	138	151
1781	138	147	128	145	141	152
1782	138	148	136	146	150	153
1783	137	148	135	146	160	154
1784	141	149	142	147	165	155
1785	149	150	154	147	162	156
1786	169	150	168	148	164	157
1787	179	151	178	148	176	158
1788	170	151	160	148	180	159
1789	164	152	140	149	179	159
1790	148	153	130	149	167	160
1791	147	153	130	150	162	161
1792	138	154	135	150	156	162
1793	138	154	131	151	153	163
1794	135	155	131	151	147	164

說明：年平均米價爲中米數列的低價與高價平均。(單位：銀 分/石)

圖 3-3：1738～1794 年贛州府、南安府及 1755～1794 年寧都直隸州中米年平均米價及長期趨勢

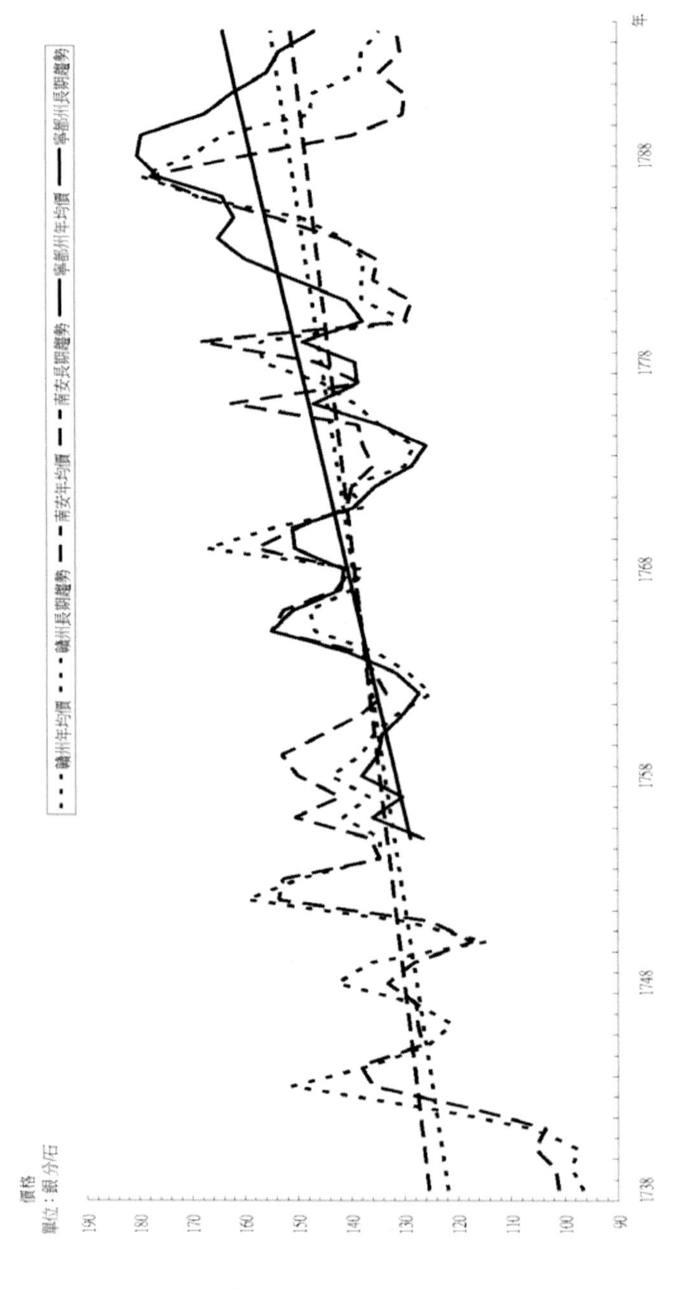

資料來源：表 3-2。

以上三府（州）的長期變動趨勢，如何確認其變動可靠與否？筆者根據長期趨勢值，探討自然災害的發生與米價攀上價格高峰，兩者間的相關程度，具體作法是確認米價高峰的年份，一一檢視在當年或前1～2年，是否曾發生災荒？上文曾提及，筆者根據米價變動的趨勢（圖3-1），將其分爲兩個時期，第一期爲1741～1781年，第二期爲1782～1794年。

第一期：1741～1781年。分別有4個完整的價格峰谷變化。第1個價格峰谷變化在1741～1750年，米價高點落在1743年（乾隆8年），贛州府年均價銀151分。據《贛州府志》記載：

（乾隆）七年，壬戌夏五月，龍南（縣）饑；六月，興國（縣）水，城圯（筆者按：「圯」意爲「橋」）、廬舍皆壞。八年，癸亥春三月，贛縣大霜，池有冰。〔註5〕

可見乾隆7年和8年（1742、1743年），贛州府除了發生飢荒、水災，還有寒害。而江西巡撫舒輅在乾隆16年（1751年），奏稟皇帝其處理搶奪米糧經過，在奏章中述及：「乾隆八年，糧價偶貴，民情原屬安帖，有等刁徒輒藉端滋擾，檢查案卷，搶奪等項甚多」等語，也間接證實乾隆8年確實米價升昂。〔註6〕米價次高點在1748年（乾隆13年），贛州府年均價銀143分，這一年在《贛州府志》中也紀錄地方發生旱災及瘟疫：「（乾隆）十二年丁卯，雩都（縣）旱。十三年戊辰，會昌（縣）疫。」〔註7〕

第2個價格峰谷變化在1751～1762年間，米價從1750年（乾隆15年）極速攀升，米價高點在1752年（乾隆17年），贛州府當年的年均價爲銀159分。據《贛州府志》記錄，從乾隆15年（1750年）秋天起，贛州府淹大水，陸路變成水道，冬天還有寒害：

（乾隆）十五年，庚午秋七月，大雨江水泛溢，郡城可通舟揖，雩都（縣）亦水，冬十二月，信豐（縣）大雷電、雨雹。〔註8〕

前一年的水災、寒害，已經嚴重影響收成，土地尚未恢復生氣，乾隆16年（1751年）開春又歷經水、旱災，這時的災區主要在江西北部，省會南昌附近：「省

〔註5〕魏瀛等修、鐘音鴻等纂，《贛州府志》（清同治12年刊本影印；臺北：成文出版社有限公司，1970年），卷22，〈祥異〉，頁6。

〔註6〕國立故宮博物院編，《宮中檔乾隆朝奏摺》（臺北：國立故宮博物院，1982年），第1輯，乾隆16年7月25日，頁244。

〔註7〕魏瀛等修、鐘音鴻等纂，《贛州府志》，卷22，〈祥異〉，頁7。

〔註8〕魏瀛等修、鐘音鴻等纂，《贛州府志》，卷22，〈祥異〉，頁7。

城（南昌）雨水亦多，商販罕至，市米稀少，糧價漸增，旋又缺雨，價不能平。」〔註9〕接連的自然災害，造成糧食供應緊張，乾隆16年（1751年）江西巡撫舒輅呈報處理搶奪米糧經過的奏摺中，寫下其對米價陡升的因應對策，以開官倉廉售米穀給人民，向米糧有餘的各縣調撥米糧，並招商販運以促進米糧流通，使米穀價格維持平穩：

> 今歲青黃不接之時，省城（南昌）糧價昂貴，當即碾米加糶，恐省會（南昌）倉儲有缺，酌撥附近充餘縣，分穀石以實省倉，其餘各縣有糧貴者，或照例糶借兼施、或招商販運接濟，以此量爲調劑，以期民食充裕。〔註10〕

米價次高點分別在1756年（乾隆21年）及1759年（乾隆24年），南安府年均價銀151分、153分。據當時江西巡撫胡寶瑔稟奏皇帝，於乾隆21年（1756年）7月13日啓程查勘被水地方的奏摺上寫道：

> 江省山多溪窄，每於春夏二汛，臨河宣洩不及，近水田廬堤壋不免侵齧……今七月初八日，據吉安府屬龍泉知縣楊焯稟到，該縣地方六月二十五、六、七等日大雨，溪河水漲，閘上游地方居民廬舍陡被水患……別縣有無被水，尚未報到之處，必須親往察看撫卹。〔註11〕

南安府位於吉安府上游，山洪暴發必定會影響地方糧價，導致米價上漲。而乾隆24年（1759年）則有「巳卯夏四月，贛郡疫」的記載。〔註12〕贛縣距南安府不遠，合理推測可能也受到疫情的波及，致使糧價短期波動。

第3個價格峰谷變化在1763～1774年，米價次高點在1765年（乾隆30年），不論南安府或寧都直隸州都升至銀155分，主因是1764年（乾隆29年）大雨成災導致山洪暴發，造成南安府上猶縣河水上漲，大水沖入縣城：

> 據南安府屬上猶縣知縣左梅稟稱，四月初十日夜雷電交作，大雨如注，至十一日未申時分，山水河水互漲入城，城內之水約有丈許，衙署浸倒，卷宗書籍飄沒，常平倉浸倒八座……上猶縣西有聶都東山，

〔註9〕國立故宮博物院編，《宮中檔乾隆朝奏摺》，第1輯，乾隆16年8月初6日，頁362。

〔註10〕國立故宮博物院編，《宮中檔乾隆朝奏摺》，第1輯，乾隆16年7月25日，頁244。

〔註11〕國立故宮博物院編，《宮中檔乾隆朝奏摺》，第14輯，乾隆21年7月13日，頁871。

〔註12〕魏瀛等修、鐘音鴻等纂，《贛州府志》，卷22，〈祥異〉，頁7。

為章水發源之處，此次係大雨傾注，山水暴發，猝被水災。〔註13〕

這場水災威力驚人，據《南安府志》記錄：「乾隆二十九年夏，山水暴發，上猶、崇義，山多裂，上猶廟學及城皆圮，湮沒民居無筭（筆者按：今寫作「算」），南康亦水，三江口漫衍墟市」。〔註14〕《江西省寧都直隸州志》也有「（乾隆）二十九年甲申大水」的記錄。〔註15〕江西巡撫明德奏稟中央，應趁時督買倉穀以備民食時也提及此事：「江西地方，上年（乾隆 29 年）被水歉收，今春雨水又多，江、湖漲發，楚米不至，以致所屬各邑，處處米缺價貴」。〔註16〕

另外，米價高點落在 1769 年（乾隆 34 年），贛州府年均價銀 167 分，《贛州府志》有：「三十四年已丑安遠饑」的記錄，但史籍上並未特別載明受到何種自然災害侵襲，才導致飢荒。〔註17〕

第 4 個價格峰谷變化在 1775～1781 年，米價次高點在 1776 年（乾隆 41 年），南安府年均價銀 162 分，米價高點在 1779 年（乾隆 44 年），南安府年均價銀 168 分。從圖 3-1 可見這個時期南安府與寧都直隸州米價的升降曲線亦步亦趨，只是價格上揚幅度較大，但地方志及江西巡撫上稟中央的奏摺，都未提及當地這幾年曾發生任何自然災害或戰亂，可見這時期米價的波動，其因素應與天災人禍不相干，可能是別的因素所造成。

第二期為 1782～1794 年。米價在 1787～1788 年間來到最高點，可視為第 5 個價格峰谷變化，在 1787 年（乾隆 52 年），南安府米價為銀 178 分、贛州府為銀 179 分，直到 1788 年（乾隆 53 年），寧都直隸州米價為銀 180 分達到最高點。這是由於乾隆 51、52 年（1786、1787 年）相繼大旱，災情嚴重，導致糧價陡升。據《江西省南安府志補正》稱：

（乾隆）五十一年，丙午春，霪雨（筆者按：指久雨不停），夏，南康（縣）旱，自四月不雨，至秋八月無早稻，秋收亦歉，民大饑。至次年春，死者相枕籍，大庾（縣）、上猶（縣）皆旱。五十二年，丁未，大庾（縣）

〔註13〕國立故宮博物院編，《宮中檔乾隆朝奏摺》，第 21 輯，乾隆 29 年 4 月 22 日，頁 282。

〔註14〕蔣有道等修、史珥等纂，《江西省南安府志》（清乾隆 33 年刊本影印；臺北：成文出版社有限公司，1989 年），卷 22，〈祥異〉，頁 18。

〔註15〕黃永綸、楊錫齡等纂修，《江西省寧都直隸州志》（清道光 4 年刊本影印；臺北：成文出版社有限公司，1989 年），卷 27，〈祥異〉，頁 6。

〔註16〕國立故宮博物院編，《宮中檔乾隆朝奏摺》，第 25 輯，乾隆 30 年 7 月初 3 日，頁 416。

〔註17〕魏瀛等修、鐘音鴻等纂，《贛州府志》，卷 22，〈祥異〉，頁 7。

饑、大疫，上猶（縣）亦饑，秋九月，上猶（縣）地震。〔註 18〕

《贛州府志》也有類似記載：「五十一年丙午，雩都（縣）自四月至七月不雨，信豐（縣）旱，大疫，會昌（縣）、安遠（縣）、龍南（縣）亦旱。五十二年丁未，龍南（縣）饑」。〔註 19〕《江西省寧都直隸州志》較簡短，但也紀錄同一場旱災、疫病：「五十一年丙午旱、疫，五十二年丁未夏大旱、疫」。〔註 20〕

綜上所述，自然災害與糧價變動的關聯性於自然災害發生的當年或之後，米價都有上升，而輕微的自然災害於該年或接連數年亦造成米價上升，可見氣候不良造成農作物歉收，促使糧價高漲，對米價的短期變動是顯而易見的，因此以自然災害來考察米價的極端值是極爲合適的，印證了筆者從「清代糧價資料庫」取得的糧價數據，建立的米價長期趨勢數列是可被接受的，可用性也高。

第二節　贛南糧食市場整合程度

上文對米價長期變動的觀察（圖 3-2），顯示贛州府、南安府、寧都直隸州三個府（州）的時間數列變動極爲近似，已經間接證實贛南地區的米糧市場呈現高度整合狀態，但是以下仍需進行米價的相關分析，更能具體驗證贛南三府（州）的確屬於同一個糧食市場區。

統計學家通常認爲一個時間數列，包含長期趨勢、季節變動、循環變動及不規則變動四種因素，其組成關係是相乘的，可以公式表示：

時間數列=長期趨勢×季節變動×循環變動×不規則變動

而如果時間數列的原始資料採用年平均資料，則季節變動的因素已經不存在，但是趨勢值及循環值還是存在著，如果不先設法剔除，就以年平均資料計算其相關，則結果可能太過誇大，就如同在通貨膨脹時期，甲乙兩地市場即使沒有什麼關聯，但兩地的物價可能同時上漲，如果沒有先將物價上漲的趨勢值剔除，而直接計算兩地物價的相關，結果必然會高估兩地市場的相關程度。〔註 21〕因此筆者要驗證贛南地區贛州府、南安府、寧都直隸州三府

〔註 18〕楊錞纂，《江西省南安府志補正》（清光緒元年刊本影印；臺北：成文出版社有限公司，1975 年），卷 10，〈祥異〉，頁 6。

〔註 19〕魏瀛等修、鐘音鴻等纂，《贛州府志》，卷 22，〈祥異〉，頁 7。

〔註 20〕黃永綸、楊錫齡等纂修，《江西省寧都直隸州志》，卷 27，〈祥異〉，頁 7。

〔註 21〕王業鍵、黃瑩玨，〈清中葉東南沿海糧食作物分布、糧食供需及糧價分析〉，王業鍵，《清代經濟史論文集》，第 2 冊，（臺北：稻鄉出版社，2003 年），頁 113。

（州）是否屬於同一個糧食市場區，就以相關分析法，進行米價的相關分析來確認。

相關分析法是以年平均價格剔除趨勢值和循環值後，計其相關，所得的結果即爲不規則變動（也就是隨機部分）數值的相關。根據王業鍵、黃瑩玨在〈清中葉東南沿海糧食作物分布、糧食供需及糧價分析〉一文中，觀察東南沿海地區米價循環變動的週期長度，大多爲 4 年，部分爲 5 年或 6 年。〔註 22〕由於贛南臨近東南沿海地區，而且此地也有米糧輸出到閩省，關係匪淺，故筆者採取 5 年作爲米價循環變動的週期長度，以剔除循環值。而求兩個或多個時間數列的相關係數時，這些數列的起訖年必須一致，因此筆者採用時間數列的資料，爲遷就寧都直隸州的原始數據，所以三個府（州）的原始資料數值，全部的起迄年限都從 1755 年至 1794 年。表 3-3 爲贛南三府（州）以 5 年爲循環變動週期長度的相關係數值。〔註 23〕

表 3-3：1755～1794 年贛州府、南安府、寧都直隸州米價變動相關係數（以 5 年爲循環變動週期）

	贛 州 府	南 安 府	寧都直隸州
贛州府	1		
南安府	0.84	1	
寧都直隸州	0.78	0.56	1

相關係數的數值會介於 0 至 1 之間，數值爲 0，表示兩者沒有相關，數值愈大表示兩者相關程度愈高，反之則愈低；數值若爲正，表示兩者爲正相關，數值若爲負，兩者則爲負相關，＋1 或－1 表示兩者完全相關。〔註 24〕

從表 3-3 可看出，贛州府與南安府的相關係數值高達 0.84，贛州府及寧都直隸州的相關係數值達 0.78，兩組相關係數接近 0.8 或以上，且數值皆爲正相關，表示彼此關係緊密，意謂贛州府、南安府、寧都直隸州三府（州）的糧

〔註 22〕王業鍵、黃瑩玨，〈清中葉東南沿海糧食作物分布、糧食供需及糧價分析〉，王業鍵，《清代經濟史論文集》，第 2 冊，頁 112。

〔註 23〕筆者亦測試以 4 年爲循環變動週期長度的相關係數值，贛州府與南安府的相關係數爲 0.85、贛州府與寧都直隸州的相關係數爲 0.77、南安府與寧都直隸州的相關係數爲 0.55。

〔註 24〕相關係數數值解釋，謝美娥，〈十九世紀淡水廳、臺北府的糧食市場整合研究〉，頁 33。

食市場有高度的整合，實可視爲同一市場區。又南安府與寧都直隸州的相關係數雖較低，爲 0.56，但不能視爲兩者不相關，一般說來，地理與交通運輸上愈接近的地區，其市場整合程度愈高。〔註 25〕而南安府與寧都直隸州兩地的距離，比起贛州府距離南安府，或贛州府距離寧都直隸州，當然相對較遠。以下從質性史料中有關贛州府、南安府及寧都直隸州的米糧流通情形，用以輔助解釋本節的計量結果。

糧食是大體積、重量極重的商品，長途運輸水運當然比路運方便，而且便宜，除非舟楫不通之處，才用車載馬駝，形成以水運爲主，陸運爲輔，互爲補充的水陸聯運糧食運輸網。〔註 26〕贛州府位於貢水、章水匯流處，二水匯合成贛江，往北流入長江，循貢水、章水逆流，分別可抵達福建、廣東，可見交通網絡是以贛州爲中心向外輻射，所謂：「贛爲兩粵門戶，章、貢二水商賈往來，舳艫日未嘗絕。」〔註 27〕但就地理位置而言，贛州府偏西邊，較接近南安府，與東邊的寧都州相對較遠，這也是江西巡撫范時綬於乾隆 19 年（1754 年）上奏，希望析出寧都、石城、瑞金自成寧都直隸州以裨吏治的理由：

> 寧都、瑞金距府三百七、八十里，石城距府四百六十餘里，即知府精明強幹，亦慮鞭長莫及……查贛屬寧都、瑞金、石城三縣，皆在府之東北，地界緊連相距各一百餘里，若以寧都一縣改爲直隸州，以瑞金、石城二縣分隸管轄……於三縣吏治、民生，均有裨益。〔註28〕

東部寧都直隸州不只距離贛州較遠，氣候也與贛州一帶迥異：

> 陽都（寧都）毗連撫、建（筆者按：爲江西省撫州府、建昌府）。石城（縣）在（寧都）州之東，瑞金（縣）於（寧都）州爲東南，皆在贛郡之北。其氣候類贛者半，類撫、建亦半也。如《郡志》言……陽都（寧都）新穀皆六月登場，與撫、建略同，下鄉有五月二十八嘗新者，是爲最早。《贛志》載民間以五月十八日嘗新，遲亦在下浣。陽都（寧都）

〔註25〕陳春聲認爲相關係數在 0.900 以上的相關係數值爲「強相關」，0.800～0.899 爲「較強相關」，0.799 以下的爲「較弱相關」。陳春聲，《市場機制與社會變遷——18 世紀廣東米價研究》（廣州，中山大學出版社，1992 年），頁 146。

〔註26〕鄧亦兵，《清代前期商品流通研究》（天津：天津古籍出版社，2009 年），頁 56。

〔註27〕黃德溥等修、褚景昕等纂，《贛縣志》，卷 19，〈關榷〉，頁 1。

〔註28〕國立故宮博物院編，《宮中檔乾隆朝奏摺》，第 7 輯，乾隆 19 年 3 月 16 日，頁 766～767。

之最早乃贛州之最遲，此亦南北地氣以漸而變之驗也。〔註29〕

因此寧都直隸州的單季稻作也不同於贛州府和南安府的水稻雙穫。〔註30〕

稻作的產季不同，直接影響其產量，贛州府、南安府爲水稻雙穫區，有餘糧可外運，自明代起就是重要的米穀輸出地，這種情形持續到清中葉，據《贛州府志》記載：

> 贛無它產，頗饒稻穀……兩關轉穀之舟，絡繹不絕，即儉歲亦櫓聲相聞。〔註31〕

但是貢水、章水並不與廣東、福建的水路相連，因此米糧用船載運，逆流而上達終端，就要改爲陸運。循章水逆流，經南康、大庾縣，改陸運翻越南安府大庾嶺，通過梅嶺關可以抵達廣東的韶州、南雄州，這就是著名的大庾嶺商道，自唐代張九齡開鑿以來，至清末五口通商之前，是溝通中國南北貿易的主要商業孔道，贛州正好位在其中繼樞紐的位置，明清兩朝選擇在此設立鈔（榷）關，收取過往的商稅銀，有「商賈大賈，挾重貲以邀厚利，走番舶而通百蠻，必先經贛關」之稱。〔註32〕流通的大宗商品包括糧食、茶葉、棉花、棉布、生絲、絲織品、食鹽等，但大部分並未進入贛南市場，除了食鹽、棉布和少量的廣貨。〔註33〕

循貢水而上，經由贛州雩都縣、會昌縣，往南通過筠門嶺，改陸運至廣東潮州。筠門嶺通往廣東，亦是南安、贛州輸出糧食的重要通道，交換廣東的潮鹽，有「南、贛二府……向有潮州及附近汀、贛各府民人，挑負米穀、豆、菽赴平遠（筆者按：廣東省嘉應州北部），易鹽過嶺，在各鄉分賣」的紀錄。〔註34〕雍正五年也發生過因爲米糧輸出過多，導至贛州府米價上漲情況，在《會昌縣志》中，可見粵、贛兩省邊界交易之頻繁：「潮州米貴，每日千餘

〔註29〕黃永綸、楊錫齡等纂修，《江西省寧都直隸州志》，卷1，〈氣候〉，頁8。

〔註30〕王業鍵、黃翔瑜、謝美娥，〈十八世紀中國糧食作物的分布〉，王業鍵，《清代經濟史論文集》，第1冊，頁90。

〔註31〕余文龍修、謝詔纂，《江西省贛州府志》（明天啓元年刊本影印；臺北：成文出版社有限公司，1989年）卷3，〈土產〉，頁11～12。

〔註32〕朱扆等修、林有席等纂，《贛州府志》（清乾隆47年刊本影印；臺北：成文出版社有限公司，1989年），卷2，〈關隘〉，頁34～35。

〔註33〕黃志繁、廖聲豐，《清代贛南商品經濟研究：山區經濟典型個案》（北京：學苑出版社，2005年），頁85～86、123～125。

〔註34〕轉引黃志繁、廖聲豐，《清代贛南商品經濟研究：山區經濟典型個案》，頁85～86。

人在筠門嶺及周田墟搬運，本邑（會昌）米復大貴」。〔註 35〕

經由貢水，另一條貿易路線，是由贛州雩都縣、會昌縣而達寧都州瑞金縣，改陸運翻越寧都大隘嶺，抵達福建省汀州。比較特殊的是，瑞金是贛南極個別缺糧的縣。〔註 36〕這裡位於閩、贛交界，為單季稻作區，又各省來此謀生者眾，在本地廣植菸草，因此逆貢水而來的糧食運至瑞金後，首先供應瑞金縣內的民食，《瑞金縣志》描述瑞金仰賴貢水下游供給米糧的情形：

> 夫通一邑之田，既去其半（種菸）不種穀，又歲增數萬剉烟、冗食之人，且日引領仰食於數百里外下流之米……一旦贛（縣）、雩（都縣）、興（國縣）閉糴，穀絕下流者，瑞（金）如魚涸轍，存亡在呼吸間。〔註 37〕

而汀州府山多地狹，也是缺糧區，糧食需由外縣供給，在《長汀縣志》記錄：

> （長汀）歲只一熟，無兩收也，米穀、豆、麥出產無多，不敷需求，需藉寧（都）、瑞（金）挑運，源源接濟。〔註 38〕

這條商道也是寧都直隸州人民以米易鹽及百貨的商道。〔註 39〕官方雖然規定寧都直隸州食廣東潮鹽，由筠門嶺轉運，但官方潮鹽品質不佳，所以地方小民多肩挑米糧從汀州交易私鹽，有所謂：「瑞金食鹽自古不知有鹽（土阜）、鹽引之名，亦不知有官鹽、私鹽之分，邑人負米至汀易鹽而回，路近而價賤，官與商從無過而問焉」的情況。〔註 40〕贛南的米糧除了供應糧產不足的瑞金、汀州，還可利用起源于長汀縣的韓江，供應廣東嚴重缺米的潮州一帶，甚至因為汀州剛好位於贛、粵米、鹽交易的中繼站，是潮州向贛南運送食鹽、贛南向潮州運送餘糧的轉運點，許多本地人民以從事轉運為業。〔註 41〕

從上述糧食流通路線與各地糧食供需情況，可見贛南與閩、粵的交通幹

〔註 35〕劉長景修、陳良棟、王驤纂，《會昌縣志》（清同治 11 年刊本影印；臺北：成文出版社有限公司，1989 年），卷 27，〈祥異志〉，頁 6。

〔註 36〕陳支平，〈清代江西的糧食運銷〉，《江西社會科學》，1983 年第 3 期，頁 117。

〔註 37〕楊以兼等纂修，《續修瑞金縣志》（清康熙 48 年刊本影印；臺北：成文出版社有限公司，1989 年），卷 8，〈紀言・禁煙議〉，頁 39。

〔註 38〕黃愷元等修、鄧光瀛、丘復等纂，《民國長汀縣志》（民國 30 年鉛印本影印；上海：上海出版社，2000 年），卷 18，〈實業志〉，頁 1。

〔註 39〕黃志繁、廖聲豐，《清代贛南商品經濟研究：山區經濟典型個案》，頁 80。

〔註 40〕黃永綸、楊錫齡等纂修，《江西省寧都直隸州志》，卷 17，〈驛鹽志〉，頁 9。

〔註 41〕王業鍵、黃國樞，〈十八世紀中國糧食供需的考察〉，王業鍵，《清代經濟史論文集》，第 1 冊，頁 280。王業鍵，〈十八世紀福建的糧食供需與糧價分析〉，王業鍵，《清代經濟史論文集》，第 2 冊，頁 133。

道雖有三，實則以贛州爲中心，沿章水、貢水往東、西兩方向進行商業交易，運輸路線詳見圖 3-4。史料中關於贛州府、南安府、寧都直隸州的米糧流通路線，正好輔助解釋米價相關分析所顯示的數值，以贛州府爲中心，往西沿章水連繫南安府，往東沿貢水連絡寧都直隸州，贛州府與南安府的相關係數值高達 0.84，贛州府及寧都直隸州的相關係數值達 0.78，兩者數值皆爲正相關且相關程度高，而南安府及寧都直隸州位於章水、貢水水運路線的東、西兩端，兩者的米糧流通，是透過贛州府進行的，因此南安府與寧都直隸州的相關係數爲 0.56，但不能視爲不相關。因此從米價相關分析的結果，驗證十八世紀贛州府、南安府、寧都直隸州三府（州）的糧食市場爲高度整合的地區，贛南地區實可視爲一個糧食市場區。

圖 3-4：贛南與閩、粵的交通要道簡圖

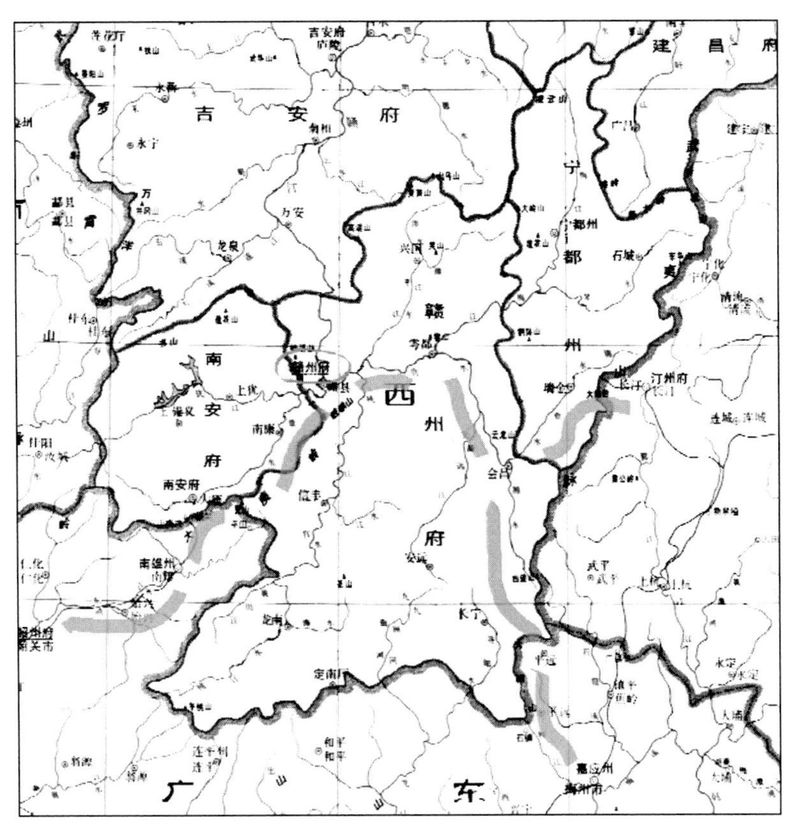

資料來源：修改譚其驤，《中國歷史地圖集》（上海：中國地圖出版社，1985 年），第八冊，頁 33～34。

第四章　結　論

江西自古為米穀輸出地，王業鍵在〈十八世紀中國糧食供需的考察〉一文依照各省糧食供給的豐嗇，認為江西糧產有餘，是有餘糧可外運的省分，而江西的糧食生產，據史籍記載以贛南餘糧為最多。但以清代行政區劃及自然環境劃分而成的「贛南」地區，是否屬於同一個糧食市場區？在這個區域內，稻米的流通運輸及其價格的變化是否會高度影響或呈現一致性的變動趨勢？要解決這些疑慮，則必得進行市場整合研究。然而筆者研讀清代江西經濟相關研究成果，學者研究方向大致區分為農業生產、人口流動、生態環境的轉變、商品經濟的探討、市場概念等議題，尚未有學者運用糧價數據分析米價變動，檢測清代江西贛南市場的整合情形。本文從「清代糧價資料庫」取得清代贛南：贛州府、南安府及寧都直隸州的米價原始資料，進行米價長期趨勢及相關分析，檢測贛南地區的市場整合程度。

「清代糧價資料庫」是王業鍵耗費了數十年的努力，將第一歷史檔案館發行的《宮中糧價單》微捲，以及臺北故宮典藏的所有糧價清單建構而成，筆者採用乾隆朝糧價奏報制度已定型之後的米價訊息，避免因為糧價數據訊息的不完整，而影響後續進行相關分析的結果。又為了不偏倚極端價格水平的米別起見，本文選擇中米價格作為研究的數據。「清代糧價資料庫」的米價數據，是二十世紀以前中國歷史上最為豐富可靠，且在時間上連續最長的經濟數據資料，但這些糧價報告的可靠性，可能因地方官員的執行力及勤惰程度等因素而存在著相當大的差異，或因為年代久遠、或因為戰亂發生，導致資料不完整，這些都是難以避免的問題。因此在使用這批數據史料之前，還是應該利用科學的方法，對它進行可靠性評估，目的是要理出可用的糧價，以便製成糧價「原始資料」(Raw Data)。

贛南三府（州）米價數據經過可靠性評估後，顯示其可靠性極高，但糧價「原始資料」中有某些月份糧價呈現缺漏的狀態，因此還需要處理遺漏值的問題。筆者運用內插外推法（Interpolation and Extrapolation）及季節指數調整法，補值缺漏的米價數據，接著將補值後的贛州府、南安府、寧都直隸州各府（州）的中米高價及低價計算其年平均價格，從曲線看出 57 年間的米價呈現逐漸上升的趨勢，進一步由剔除循環值的 10 年移動平均，觀察米價的長期變動，更可清楚看出米價的變動曲線，呈現緩慢上升的長期趨勢。而以最小平方法求取米價的長期趨勢值，結果亦呈現平緩地上升趨勢。

根據米價變動的趨勢，再將其分成 2 個時期討論，第 1 期爲 1741～1781 年，第 2 期從 1782～1794 年。1738～1740 年間可看出米價尚屬低廉，其米價變動應屬於前一時期波動的一部分，故筆者先暫時排除這部分的分期。第 1 期米價的升降趨勢，又可區分成 4 個完整的價格峰谷變化：分別爲 1741～1750 年、1751～1762 年、1763～1774 年、1775～1781 年，第 2 期 1782～1794 年爲第 5 個價格峰谷變化。以上米價變動趨勢是否可以接受？筆者從自然災害方面著手，確認其發生於米價高峰的前 1～2 年，該數列中米價的極端波動是否合理，亦即驗證其極端值並非人爲統計造成。

第 1 個價格峰，1741～1750 年：米價高點落在 1743 年的贛州府，據史籍記載 1742、1743 年，贛州府除了發生飢荒、水災，還有寒害。

第 2 個價格峰，1751～1762 年：米價高點在 1752 年的贛州府，1750 年秋天起，贛州府淹大水，陸路變成水道，冬天還有寒害；1751 年開春又歷經水、旱災，接連的自然災害，造成糧食供應緊張。米價次高點分別在 1756 年及 1759 年的南安府，1756 年吉安府山洪暴發，影響下游的南安府，1759 年贛郡疫，推測附近的南安府可能也受到疫情的波及，導至糧價上漲。

第 3 個價格峰，1763～1774 年：米價次高點在 1765 年，因爲 1764 年大雨成災導致山洪暴發，造成南安府上猶縣河水上漲，大水沖入縣城；另外米價高點落在 1769 年，當年史籍載入饑荒的紀錄，但並未特別載明受到何種自然災害侵襲。

第 4 個價格峰，1775～1781 年：這幾年地方上未載明發生任何自然災害或戰亂，可見這時期米價的波動，其因素應與天災人禍不相干。

第 5 個價格峰，1782～1794 年：米價在 1787～1788 年間來到最高點，由於 1786、1787 年相繼大旱，災情嚴重，導致糧價陡升。

綜上所述，自然災害與糧價變動的關聯性於自然災害發生的當年或之後，米價都有上升，而輕微的自然災害於該年或接連數年亦造成米價上升，可見氣候不良造成農作物歉收，促使糧價高漲，對米價的短期變動是顯而易見的。因此，以上各個米價的峰值，有其自然災害方面的因素使然，並非人爲統計結果，此一數列的長期變動情形可以接受。

對米價長期變動的觀察，顯示贛州府、南安府、寧都直隸州三個府（州）的時間數列變動極爲近似，已經間接證實贛南地區的米糧市場呈現高度整合狀態，但是以下仍需進行米價的相關分析。相關分析法是以年平均價格剔除趨勢值和循環值後，計其相關，也就是不規則變動（隨機部分）數值的相關。贛州府與南安府的相關係數值高達 0.84，贛州府及寧都直隸州的相關係數值達 0.78，兩組相關係數接近 0.8 或以上，且數值皆爲正相關，表示彼此關係緊密，意謂贛州府、南安府、寧都直隸州三府（州）的糧食市場有高度的整合，實可視爲同一市場區。又南安府與寧都直隸州的相關係數雖較低，爲 0.56，但不能視爲兩者不相關，一般說來，地理與交通運輸上愈接近的地區，其市場整合程度愈高。

筆者從質性史料中有關贛州府、南安府及寧都直隸州的米糧流通情形，用以輔助解釋相關係數的計量結果。贛州府位於貢水、章水匯流處，循貢水、章水逆流，分別可抵達福建、廣東，可見交通網絡是以贛州爲中心向外輻射，但就地理位置而言，贛州府偏西邊，較接近南安府，與東邊的寧都州相對較遠。以贛州爲中心，往西循章水逆流，經南康、大庾縣，改陸運翻越南安府大庾嶺，通過梅嶺關可以抵達廣東的韶州、南雄州，這就是著名的大庾嶺商道；往東循貢水而上，經由贛州雩都縣、會昌縣，往南通過筠門嶺，改陸運至廣東潮州；另一條往東路線，爲經由貢水，由贛州雩都縣、會昌縣而達寧都州瑞金縣，改陸運翻越寧都大隘嶺，抵達福建省汀州。贛南與閩、粵的交通幹道雖有三，實則以贛州爲中心，沿章水、貢水往東、西兩方向進行商業交易。史料中的米糧流通路線，正好輔助解釋米價相關分析所顯示的數值，以贛州府爲中心，往西沿章水連繫南安府，往東沿貢水連絡寧都直隸州，贛州府與南安府的相關係數值高達 0.84，贛州府及寧都直隸州的相關係數值達 0.78，兩者數值皆爲正相關且相關程度高，而南安府及寧都直隸州位於章水、貢水水運路線的東、西兩端，兩者的米糧流通，是透過贛州府進行的，因此南安府與寧都直隸州的相關係數為 0.56，但不能視為不相關。從米價相關分析的結果，驗證十八世紀贛州府、南安府、寧都直隸州三府（州）的糧食市場為高度整合的地區，贛南地區實可視為一個糧食市場區。

完整的糧價研究應包含兩個先後相關聯的層次，為基礎研究與延伸研究兩個部分。〔註1〕本文為清代贛南米價的區域研究，屬於米價史的基礎研究，例如：筆者運用可靠的糧價史料，檢測糧價數據，建立贛南的糧價時間數列。然而筆者以此數列考察了十八世紀贛南地區的米價長期變動趨勢，並證實贛南的糧食市場為高度整合的地區，也屬於米價史的延伸研究。未來尚可以此為基礎，再進行各項議題的深入探討。

就長期趨勢而言，自然災害對米價變動的影響於短時期甚為明顯，長時期則較不顯著，要解釋十八世紀糧價的長期變動，還需以人口、耕地、糧食流通、貨幣等因素進一步來探討。〔註2〕筆者就取得的史料訊息，將這些影響因素略陳於下。

首先，乾隆朝後期，全國進入一個米價上漲期，人口增加可能是一個主要因素。在一個與國外沒有太多貿易往來的國家，又處在農業生產技術沒有重大突破、耕地相對增加有限的情況下，米糧生產量無法迅速大幅提高，若需求量增加，當然米價漸昂。〔註3〕而人口滋長過繁，也是清代官方對米價日漸升昂所提出的解釋：

> 江西向來米價每石原止一兩上下，嗣以生齒日繁，需求較多，價漸昂貴，總不如從前之賤。〔註4〕

其次，米價上漲，在江西地方官看來，除了人口增長，外省採買也是糧價上漲的因素：

〔註 1〕基礎研究是指運用可靠的糧價史料，檢測糧價數據，以此建立一個糧價時間數列，再分析此數列的各種價格變動，並解釋其變動原因。延伸研究是在基礎研究之後才能夠進行的研究，包含相對物價如工資、利息、地價、地租等比較，以及探討區域間市場整合、賦稅負擔、生活水平、糧價與政治社會事件的關聯等議題。謝美娥，《清代臺灣米價研究》（臺北：稻鄉出版社，2008年），頁 4～5。

〔註 2〕王業鍵、黃國樞，〈清代糧價的長期變動（1763～1910）〉，《經濟論文》，第 9 卷第 1 期（1981 年 3 月），頁 15。

〔註 3〕全漢昇、王業鍵，〈清雍正年間（1723～35）的米價〉，收入王業鍵，《清代經濟史論文集》，（臺北：稻鄉出版社，2003 年），頁 68。

〔註 4〕國立故宮博物院編，《宮中檔乾隆朝奏摺》，（臺北：國立故宮博物院，1982年），第 1 輯，乾隆 16 年 7 月 25 日，頁 251。

江省向稱產米之區，商賈自流通，惟是生齒日繁，地不加廣，是以每有外省採買之事，本地米價即覺漸長。〔註5〕

鄰省採買過多，導致米糧缺乏，是歷任巡撫上奏中央，時常提及的米貴因素：

乾隆5年，陳弘謀：「江西上年因田地偶被偏災，收成歉薄，又值鄰省購買者多，以致本地殷實之家，各自珍重儲蓄，不肯輕易出糶，市價因而頓昂。」〔註6〕

鄰省採買米穀，除民間商販購買導致糧食減少，官府收購米穀才是米糧大量減少的主因：

乾隆16年，舒輅：「今歲鄰省糧價俱昂，江西秋收雖屬豐稔，不特鄰省日逐販運，難以數計，即本省買補前項平糶穀三十四萬餘石爲數已多，若再買補碾運浙省一半穀三十萬石，則一時似難購補。」〔註7〕

乾隆17年，鄂容安：「倘遇歉收，則本年市價已不平減，經春自必騰貴，即下年得收，而元氣未復，價亦不能即平，商販之外再加以外省採買，剋期取足，市儈居奇，糧價勢必翔湧。」〔註8〕

甚至因爲贛南與周圍地區的糧食價差，使人民不惜將維持自己生活所需的糧食也販售出去，導致當地米價上揚：

今歲鄰省糧價俱屬昂貴，客商販運者多，即今早稻登場，而贛州府屬閩、粵商販絡繹，上江之徽州府用文知會採買，而袁、臨等府亦多販運出境，是以本省之價總未能平，即將來秋收豐稔，價仍不能大減。〔註9〕

尤其若值鄰省災荒，人民寅賣卯糧的趨勢更是無法遏阻，導致本地也缺糧價貴：

〔註5〕國立故宮博物院編，《宮中檔乾隆朝奏摺》，第1輯，乾隆17年12月初1日，頁459。

〔註6〕國立故宮博物院編，《宮中檔乾隆朝奏摺》，第1輯，乾隆5年12月18日，頁19。

〔註7〕國立故宮博物院編，《宮中檔乾隆朝奏摺》，第1輯，乾隆16年8月25日，頁505。

〔註8〕國立故宮博物院編，《宮中檔乾隆朝奏摺》，第4輯，乾隆17年11月22日，頁388。

〔註9〕國立故宮博物院編，《宮中檔乾隆朝奏摺》，第1輯，乾隆16年7月25日，頁248。

江西雖素稱產米，究不及川楚之多，豐稔之年互相流通，已不免有挹彼注茲之勢，自去年湖北、安徽等省，偶被災浸……商販踵至，官司市牙遵奉曉示，不敢稍有阻遏，小民貪得厚值，盡出其所有，以應鄰糴，遂不復有餘九餘三之積，雖歲收仍獲豐稔，而市價未能驟平。〔註 10〕

面對明顯的糧食不足以及日益高漲的糧價，地方鄉族勢力只好採取「遏糴」的方法，禁止糧食運送出境，但這與官方希望米糧流通，使各地糧食供需達到平衡的作法相反，《江西省寧都直隸州志》中關於整頓風俗的禁令之一，就是下令禁止遏糴、阻糶，使穀不流通：

禁州俗每有私自聯關，不許搬運出境之事，甚至不許搬運出村，又甚至一城之內亦分畛域，本關之穀不許糶與別關，而田主存倉之租穀亦阻止不許入城，以致米價益昂，小民日益維艱，最爲惡習。〔註 11〕

再次，貨幣因素也是清朝江西省官員考量米價上升的一個變項。尤其在乾隆末年，人民愈來愈倍感通貨膨脹的壓力，對於米價到底屬於貴價或賤價，連巡撫都認爲每隔幾年後，應該重新核定新的標準：

糧價向分貴、中、賤三等，乾隆四十年……定議以一兩三錢以內爲賤價，一兩三錢以外至一兩八錢爲中價，一兩八錢以外爲貴價……但自議辦以來，生齒加繁用廣，而值漸增理所必然，似難據十餘年前之等則爲定準。〔註 12〕

但地方官員無法精確地指出的是，糧食價格是由貨幣來決定的，因此白銀的流通量及其價格的變化，也是直接影響糧價變動的重要因素。〔註 13〕清朝的貨幣制度爲銀、錢雙本位制，但實際上，市場上還有一個新增加的信用貨幣（私票）部門，在十八世紀，這三方面的發展呈現擴張的趨勢：中國銀產雖不豐富，但從明朝中葉後，西方對中國絲、茶等產品需求大增，不斷輸

〔註 10〕國立故宮博物院編，《宮中檔乾隆朝奏摺》，第 61 輯，乾隆 51 年 9 月 16 日，頁 518。

〔註 11〕黃永綸、楊錫齡等纂修，《江西省寧都直隸州志》（清道光 4 年刊本影印；臺北：成文出版社有限公司，1989 年），卷 11，〈風俗志〉，頁 9。

〔註 12〕國立故宮博物院編，《宮中檔乾隆朝奏摺》，第 61 輯，乾隆 51 年 9 月 16 日，頁 519。

〔註 13〕崔憲濤，〈清代糧食價格持續增長原因新探〉，《學術研究》，2001 年第 1 期，頁 100～101。

入美洲的白銀，隨著進口流入中國的白銀愈來愈多；銅錢部分也在十八世紀大爲擴張，由於雲南銅礦生產躍升，官鑄銅錢大量增加之外，乾隆朝後期，私鑄銅錢也愈來愈多，甚至在乾隆 40 年（1775 年）後錢價下跌、銀價上升，可見十八世紀後期，銅錢的增加速度，比白銀來得大；至於私票的使用，則與銀、錢的使用關係密切，在市場上流通的銀和錢愈多，商業發展愈繁榮，私票的發行額愈大，流通量也愈多，十八世紀的中國，貨幣量的供給大爲增加，結果就形成長期物價上升的趨勢。〔註 14〕可知無論是人口、耕地、貨幣、糧食流通，都應該進一步考察其與米價變動的關聯，惟筆者時間有限，亟待後續者努力。

最後，就清代的糧食市場整合而言，還有可再予考察的是跨省的研究。福建省汀州府的米糧，與福建省其它地區往來較疏，基本上完全仰賴江西的供應，尤其是贛南糧食的支持。〔註 15〕但汀州府與贛南的糧食市場，是否可視爲同一個糧食市場區，也是必須再加以探討考察的一個重要課題。然而，本文已經驗證十八世紀贛南糧食市場具有高度的整合，是各項延伸議題研究的起點。以行政區來看，贛南地區屬於江西的次級糧食市場區，至於此市場區是否與鄰省及其他府州共同形成更大的糧食市場區，則是另一與市場整合研究相關的重要課題。

〔註 14〕王業鍵，〈全漢昇在中國經濟史研究上的重要貢獻〉，收入王業鍵，《清代經濟史論文集》，第 1 冊，頁 61。王業鍵，〈中國近代貨幣與銀行的演進（1644～1937）〉，收入王業鍵，《清代經濟史論文集》，第 1 冊，頁 188～196。

〔註 15〕王業鍵，〈十八世紀福建的糧食供需與糧價分析〉，收入王業鍵，《清代經濟史論文集》，第 2 冊，頁 136。

徵引書目

一、史　料

(一) 檔　案

1. 中國第一歷史檔案館編,《雍正朝漢文硃批奏摺彙編》,江蘇:江蘇古籍出版,1991 年。
2. 國立故宮博物院編,《宮中檔乾隆朝奏摺》,臺北:國立故宮博物院,1982 年,第 1～75 輯。
3. 蔣良騏原纂、王先謙改修,《十二朝東華錄乾隆朝》,臺北:文海圖書,1963 年。

(二) 方　志

1. 于成龍等修、杜果等纂,《江西通志》,清康熙 22 年刊本影印;臺北:成文出版社有限公司,1989 年。
2. 石國柱等修、許承堯纂,《安徽省歙縣志》,民國 26 年鉛印本影印;臺北:成文出版社有限公司,1975 年。
3. 朱扆等修、林有席等纂,《贛州府志》,清乾隆 47 年刊本影印;臺北:成文出版社有限公司,1989 年。
4. 李本仁修、陳觀酉等纂,《贛州府志》,清道光 28 年刊本影印;臺北:成文出版社有限公司,1989 年。
5. 余文龍修、謝詔纂,《江西省贛州府志》,明天啓元年刊本影印;臺北:成文出版社有限公司,1989 年。
6. 余光壁纂修,《江西省大庾縣志》,清乾隆 13 年刻本影印;臺北:成文出版社有限公司,1989 年。

7. 黃永綸、楊錫齡等纂修，《江西省寧都直隸州志》，清道光 4 年刊本影印；臺北：成文出版社有限公司，1989 年。
8. 黃德溥等修、褚景昕等篡，《贛縣志》，清同治 11 年本影印；臺北：成文出版社有限公司，1989 年。
9. 黃愷元等修、鄧光瀛、丘復等纂，《民國長汀縣志》，民國 30 年鉛印本影印；上海：上海出版社，2000 年。
10. 楊錞纂，《江西省南安府志補正》，清光緒元年刊本影印；臺北：成文出版社有限公司，1975 年。
11. 楊以兼等篡修，《續修瑞金縣志》，清康熙 48 年刊本影印；臺北：成文出版社有限公司，1989 年。
12. 劉長景修、陳良棟、王驤篡，《會昌縣志》，清同治 11 年刊本影印；臺北：成文出版社有限公司，1989 年。
13. 蔣有道等修、史珥等纂，《江西省南安府志》，清乾隆 33 年刊本影印；臺北：成文出版社有限公司，1989 年。
14. 謝旻，《江西通志》，清文淵閣四庫全書本，「中國基本古籍庫」。
15. 謝旻等修、陶成等纂，《江西通志》，清雍正 10 年刊本影印；臺北：成文出版社有限公司，1989 年。
16. 魏瀛等修、鐘音鴻等纂，《贛州府志》，清同治 12 年刊本影印；臺北：成文出版社有限公司，1970 年。

二、專　書

(一) 中　文

1. 王業鍵，《清代經濟史論文集》，第 1、2 冊，臺北：稻鄉出版社，2003 年。
2. 牛平漢，《清代政區沿革綜表》，北京：中國地圖出版社，1990 年。
3. 方志遠，《明清湘鄂贛地區的人口流動與城鄉商品經濟》，北京：人民出版社，2001 年。
4. 許懷林，《江西史稿》，南昌：江西高校出版社，1993 年。
5. 陳榮華、余伯流、鄒耕生、施由民，《江西經濟史》，南昌：江西人民出版社，2004 年。
6. 陳春聲，《市場機制與社會變遷——18 世紀廣東米價分析》，臺北：稻鄉出版社，2005 年。
7. 施由明，《明清江西社會經濟》，南昌：江西人民出版社，2005 年。
8. 黃志繁、廖聲豐，《清代贛南商品經濟研究：山區經濟典型個案》，北京：學苑出版社，2005 年。

9. 黃志繁，《“賊”“民”之間——12～18 世紀贛南地域社會》，北京：三聯書，2006 年。
10. 鄧亦兵，《清代前期商品流通研究》，天津：天津古籍出版社，2009 年。
11. 張紘炬，《統計學》，臺北：華泰書局，1986 年。
12. 謝美娥，《清代臺灣米價研究》，臺北：稻鄉出版社，2008 年。
13. 岸本美緒著，劉迪瑞譯，《清代中國的物價與經濟波動》，北京：社會科學文獻出版社，2010 年。

（二）英　文

1. Han-sheng Chuan and Richard A. Kraus, *Mid-Ch'ing Rice Markets and Trade: An Essay in Price History.*（Cambridge, Mass.: Harvard University Press, 1975）

三、論　文

（一）中　文

1. 王硯峰，〈清代道光到宣統間糧價資料概述——以中國社科院經濟所圖書館館藏爲中心〉，《中國經濟史研究》，2007 年第 2 期，頁 102～108。
2. 王道瑞，〈清代糧價奏報制度的確立及其作用〉，《歷史檔案》，1987 年第 4 期，頁 80～86。
3. 王業鍵、黃國樞，〈清代糧價的長期變動（1763～1910）〉，《經濟論文》，第 9 卷第 1 期（1981 年 3 月），頁 1～27。
4. 王業鍵，〈中央研究院主題研究計畫執行成果報告書：清代糧價的統計分析與歷史考察〉，2001 年，轉引自謝美娥，〈清代物價史研究成果評述〉，未發表。
5. 史志宏，〈清代前期的耕地面積及糧食產量估計〉，《中國經濟史研究》，1989 年第 2 期，頁 47～62。
6. 李曉方，〈明清時期閩粵客家的倒遷與贛南生態環境的變遷述論〉，《贛南師範學院學報》，2007 年第 5 期，頁 47～51。
7. 李衛東、昌慶鍾、饒武元，〈清代江西經濟作物的發展及其局限〉，《中國農史》，第 20 卷第 4 期（2001 年），頁 50～54。
8. 昌慶鍾，〈清代江西經濟作物發展的原因〉，《江西大學學報》，1993 年第 3 期，頁 72～76。
9. 昌慶鐘，〈論清代前期糧食調劑信息的收集〉，《吉安師專學報》，第 18 卷第 2 期（1997 年 6 月），頁 8～12。
10. 周琍、黎明香，〈明清贛南地區經濟作物的種植研究〉，《農業考古》，2010

年 1 期，頁 251～256。

11. 周琍，〈明清時期閩粵贛邊區的"鹽糧流通"〉，《鹽業史研究》，2006 年第 3 期，頁 33～39。
12. 吳承明，〈利用糧價變動研究清代的市場整合〉，《中國經濟史研究》，1996 年第 2 期，頁 88～94。
13. 吳承明，〈論清代前期我國國內市場〉，吳承明，《中國資本主義與國內市場》，臺北：谷風出版社，1987 年，頁 311～336。
14. 許檀，〈明清時期江西的商業城鎮〉，《中國經濟史研究》，1998 年第 3 期，頁 106～120。
15. 陳支平，〈清代江西的糧食運銷〉，《江西社會科學》，1983 年第 3 期，頁 116～120。
16. 陳金陵，〈清朝的糧價奏報與其盛衰〉，《中國社會經濟史研究》，1985 年第 3 期，頁 63～68。
17. 陳仁義、王業鍵，〈統計學在歷史研究上的應用：以清代糧價爲例〉，《興大歷史學報》，第 15 期（2004 年 10 月），頁 11～34。
18. 施堅雅，〈十九世紀中國的地區城市化〉，《中華帝國晚期的城市》，北京：中華書局，2000 年，頁 242～297。
19. 施由民，〈論清代江西農村市場的發展〉，《江西社會科學》，2002 年第 9 期，頁 102～106。
20. 施由民，〈清代贛南的農業經濟〉，《農業考古》，1989 年第 1 期，頁 165～178。
21. 施由民，〈明清時期江西糧食作物的種植技術〉，《農業考古》，1992 年第 1 期，頁 164～166。
22. 施由民，〈論清代江西農業的發展〉，《農業考古》，1995 年第 1 期，頁 141～149。
23. 徐曉望，〈清代江西農村商品經濟的發展〉，《中國社會經濟史研究》，1990 年第 4 期，頁 30～40。
24. 張瑞威，〈十八世紀江南與華北之間的長程大米貿易〉，《新史學》，第 21 卷 1 期（2010 年 3 月），頁 149～173。
25. 曹樹基，〈清代中期的江西人口〉，《南昌大學學報（人社版）》，第 32 卷第 3 期（2001 年 7 月），頁 128～140。
26. 曹樹基，〈明清時期的流民和贛南山區的發展〉，《中國農史》，1985 年第 4 期，頁 19～40。
27. 黃志繁，〈大庾嶺商路——山區市場——邊緣市場：清代贛南市場研究〉，《南昌職業技術師範學院學報》，2000 年第 1 期，頁 28～32。

28. 黃志繁，〈清代贛南的生態與生計：兼析山區商品生產發展之限制〉，《中國農史》，(2003 年 3 月)，頁 96～105。

29. 劉嵬，〈清代糧價折奏制度淺議〉，《清史研究通訊》，1984 年第 3 期，頁 16～19。

30. 戴天放，〈三十年來江西明清商品經濟史研究述評〉，《三明學院學報》，第 25 卷第 1 期（2008 年 3 月），頁 91～94。

31. 謝美娥，〈十九世紀淡水廳、臺北府的糧食市場整合研究〉，淡江大學歷史學系主辦，「第五屆淡水學國際學術研討會」，臺北：淡江大學，2010 年 10 月 15～16 日，頁 1～42。

32. 謝美娥，〈餘米運省濟民居，兼及西浙與東吳——十八世紀臺米流通及其與週邊地區糧食市場整合的再觀察〉，中央研究所人文社會科學中心地理資訊科學研究專題中心、香港中文大學歷史系及太空與地球信息科學研究所鹽和主辦，「明清時期江南市場經濟的空間、制度與網絡國際研討會」，臺北：中央研究所，2009 年 10 月 5～6 日，頁 1～30。

33. 饒偉新，〈清代山區農業經濟的轉型與困境：以贛南爲例〉，《中國社會經濟史研究》，2004 年第 2 期，頁 83～91。

(二) 英 文

1. Marks Robert B., “Rice Price, Food Supply, and Market Structure in Eighteenth — Century South China,” *Late Imperial China*, Vol. 12, No. 2（December 1991）, pp.64-115.

2. Marks Robert B. and Chen Chunsheng, “Price Inflation and It’s social, Economic, and Climatic Context in Guangdong Province ,1707-1800,”*T’oung Pao*, vol.81,No.1（1995）, pp.109-152.

3. Lillian M. Li,“Grain Prices in Zhili Province, 1736-1911: A Preliminary Study,”Thomas G.. Rawski and Lillian M. Li ed. ,*Chinese History in Economic Perspective*, pp.69-99.

4. Wong R. Bin and Peter C. Perdue,“Grain Market and Food Supplies in 18th Century Hunan ,” Thomas G.. Rawski and Lillian M. Li ed. ,*Chinese History in Economic Perspective*,（Berkeley and Los Angeles, CA: University of California Press,1992）, pp.126-144.

5. Perdue Peter C.,“The Qing State and the Gansu Grain Market 1739-1864,”Thomas G.. Rawski and Lillian M. Li ed. ,*Chinese History in Economic Perspective*, pp.100-125.

十八世紀陝南地區的糧食市場整合研究

陳金月　著

作者簡介

陳金月，畢業於成功大學歷史學系在職專班，現任國中教師。因緣際會之下，承蒙研究所指導教授 謝美娥老師的引薦得以獲得花木蘭文化出版社出版。而這份論文之所以能完成，最要感謝的是我的指導教授 謝美娥老師。如無老師的指導，無法順利完成本文，並感謝出版社出版拙著。

提　　要

本文從「清代糧價資料庫」取得清代漢中府、興安府及商州直隸州的米價原始數據，建立一組糧價時間數列，經過可靠性評估及補遺漏值，運用計量方法，分析此一數列的長期趨勢以及相關分析，探討陝南地區的糧食市場整合程度，並輔以記述性史料佐證量化研究結論。

觀察米價的長期趨勢，發現漢中、興安、商州三府州都呈現緩慢上升的趨勢。利用史籍記載的自然災害考察其與糧價變動的關聯性，大部分的極端價格都有相應對的自然災害伴隨發生，驗證其極端值並非人為統計造成。

透過對米價長期變動的觀察，顯示漢中、興安、商州三府州的變動趨勢並不完全同步同向，間接指出此三府州彼此間的糧食市場程度不高，且相關分析的結果，漢中府與興安府的相關係數值為 -0.36，漢中府及商州的相關係數值為 -0.08，二組皆為負相關，表示漢中府和興安府這二個地區彼此關係較微弱，而漢中府和商州的係數值接近於 0，似是沒有關聯，意味漢中、興安、商州三府州不構成一個糧食市場區。又興安府與商州的相關係數為正相關，雖然係數值只有 0.41，但對其他二組而言，其相關相對的高。從米價相關分析的結果，驗證十八世紀漢中、興安、商州三府州未形成一個高度整合的糧食市場地區，而其中的興安府和商州地區才形成一個糧食市場區。

誌　謝

自踏出大學校門進入教育教學領域已過數年，常深感學識猶有不足之處，而興起一股重返校園再進修的念頭。於成大進修時，承蒙研究所師長們的教導，與幾名互相鼓勵、扶持的同學，使我在進修的過程中受益良多。進修期間，所幸得到師長、家人、同事、朋友的支持與協助，使我最後能夠順利完成學業。其中，最要感謝的是我的指導教授 謝美娥老師，在我對論文寫作接近放棄時，給予了一線希望，讓我重燃將學業完成的信心。感謝老師花費許多時間細心地指導，讓沒有受過統計學基礎訓練的我可以應用計量方法完成論文，順利完成學業。在此，再次感謝老師的指導。

目次

表目錄

圖目錄

第一章　緒　論

第一節　研究動機與研究目的

常言道：「國以民爲本，民以食爲天」，反映出糧食之於芸芸眾生的重要性，古今皆然。即使是物質生活條件優渥的現今社會，糧食供需充足與否，仍對一般人民生活造成相當程度的影響，進而對社會與政治局勢的穩定起了一定作用。雖然現今一般商品價格高低取決於自由市場運作的機制，但是一旦當糧食供需出現危機時，即便施行自由放任經濟政策的政府也一改平時大多遵照市場運作結果的取向，而出手干預市場運作，以求穩定物價，安定民心。這種政府干預市場運作的例子，不僅出現在經濟體制以自由放任著稱的當今社會之中，更何況是以小農經濟爲主的中國古代社會，其糧食支出的比例占有日常生活開銷的絕大多數，因此，糧食價格的低高與供需充足與否，不僅是一般人民關注的焦點所在，也成爲包含統治者在內的朝野上下經常討論的議題。因爲一旦糧食的供需出現嚴重失衡時，不僅導致社會不安，更甚引發政權危機，而這樣的例子在中國歷代以來屢見不鮮，所以統治當局也往往採取應對的措施，例如：糧倉的設立，除了在發生自然災害時可賑濟災民，並作爲平糶糧價之用。到了清代，滿人爲了政權的鞏固，對於糧食供需問題的重視，較歷代各朝而言更是有過之而無不及，尤其到康熙帝時，對民生問題更是關切，除常向臣僚詢問農業外，並命令地方官員報告糧食供需的狀況，也因此建立清代糧價陳報制度的雛形。〔註 1〕

〔註 1〕 王業鍵，〈清代的糧價陳報制度及其評價〉，收入王業鍵，《清代經濟史論文集》

目前關於物價史的研究議題中，以研究清代糧價的變化，在很大程度上可以作爲當時物價的代表，並且反映一個區域經濟發展的狀況，和該區域的糧食市場整合情形。至於什麼是糧食市場整合？簡單來說，就是透過糧食的供需流通，與外地糧食市場是否會產生程度不一的關聯，此關聯指兩地是否形成糧食供需關係，與存在市場整合，如果是的話，就形成一個糧食市場區（市場圈／經濟區）。但是如何探得糧食市場區（市場圈／經濟區）的構成範圍？主要可以透過以米穀流通方向及其流通終點的變遷來界定範圍，與以米價變動的相關程度來衡量，這兩種研究途徑來進行。這兩者雖然都是研究糧食供需關係的方法，但仍有差異。前者爲質化研究，主要是尋找史料文獻中有關糧食流通的記錄來佐證；後者則爲量化研究，涉及糧食市場整合的探討，主要從米價的相關分析來看糧食市場區域的分劃和其間的遠近關係。〔註 2〕

然而，以往學者在進行糧價研究時，所使用的材料大多數是從文獻史料中梳理出來，但是如果只以記述性史料來探討市場的關聯性，其完整性未能使人信服，若是能輔以科學的量化統計分析方法，則更具有說服的力度。因此，關於清代市場整合的相關議題，已有不少中外學者以施堅雅（G. William Skinner）的經濟巨區（economic macrovegion）理論爲藍本，利用清代糧價陳報制度中的糧價清單進行量化分析，而獲得相當的研究成果。〔註 3〕在施堅雅（G. William Skinner）的八大巨區（macroregions）之中，有關華北、西北、長江上游、長江中游、長江下游、東南沿海、嶺南及雲貴等巨區與巨區間，或單獨一個省內各區域間，抑或省級以下，如府與府之間的市場整合研究，已有相關的研究成果陸續發表。這些關於中國各區域的研究成果，雖有部分

（臺北：稻鄉出版社，2003 年），第 2 冊，頁 1～5。

〔註 2〕謝美娥，〈十九世紀淡水廳、臺北府的糧食市場整合研究〉，淡江大學歷史學系、臺北縣淡水鎮公所聯合主辦，「第五屆淡水學國際學術研討會」，臺北：淡江大學、淡水鎮公所，2010 年 10 月 15～16 日，頁 2～3。

〔註 3〕施堅雅將中國分爲華北、西北、長江上游、長江中游、長江下游、東南沿海、嶺南與雲貴八大巨區（或大區）（Macroregions）。並認爲帝國晚期的中國城市尚未形成一個一體化的城市體系，並分爲幾個區域性體系，即八大巨區，每個體系與相鄰的體系之間的聯繫都十分鬆散，並且每個體系內城市所影響的腹地是部分交錯的，其區域範圍的區劃與自然地理區域相吻合。並認爲各個位於巨區中心位置的城市彼此間的往來，因距離的遙遠與運輸費用的昂貴而受到極大限制，而各自獨立，但在巨區內的城市之間，彼此聯繫則相對密切。施堅雅著，王旭等譯，《中國封建社會晚期城市研究》（長春：吉林教育出版社，1991 年），頁 54～61。

例外，但大多能符合施堅雅（G. William Skinner）八大巨區理論建構下的中國區域經濟模式，即巨區內整合程度較高，而巨區彼此間的聯繫程度較不顯著。但對於西北地區的研究，目前僅有濮德培（Peter C. Perdue）探討甘肅，與威爾金森（Endymion P. Wilkinson）利用糧價細冊討論二十世紀最初十年的陝西，至於十八世紀陝西省的相關研究仍是一片空白，有待填補。〔註 4〕

本文研究範圍，筆者主要根據糧食作物分布與輪作制度來界劃，傳統中國糧食作物分布的特色是「南稻北麥」，但對地理位置位於北方的陝南地區而言，卻以稻米作爲主要糧食作物，而非旱作作物，由此筆者推論，陝南地區在稻米糧食市場上可能同屬一市場區（市場圈／經濟區）。因此，本篇研究利用 1738～1795 年陝南地區的漢中、興安、商州三府州糧價數據進行時間數列考察，透過科學的計量方法來進行分析，輔以記述性史料，期望藉此能瞭解十八世紀陝南地區的漢中、興安、商州三府州米價的長期變動趨勢，以及彼此間糧食市場整合情況，探討陝南地區是否同屬一個市場區（市場圈／經濟區），以填補目前對西北地區研究成果的不足，並進一步對整個清代糧食市場整合研究地圖中的空白處，能填補一小部分缺塊，使其全貌能更趨於完整。

第二節　研究回顧與研究方法

根據王業鍵的研究得知，中國經濟在清代未產生結構上的改變，但從另一個角度來看，它仍然表現得很有活力，創下廣泛性成長的紀錄，因此，並不能一味認定清代經濟處於完全停滯的狀態。從廣泛性成長的觀點來看，清代經濟最爲顯著的變動就是農業的擴充，大致可分爲三個階段：首先，人口增加的結果，使得人口密集地區的一部份人口遷移到土地較爲豐富的地區；其次，人口移動的結果，導致耕地的增加，而水利灌溉的建設也跟著擴充；第三，隨著耕地及灌溉面積的擴大，總產量與單位面積產量也都跟著增加。而這種連鎖性的發展，在清代時期，以被劃分爲「開發中區域」（the developing area）——包括東北、陝西、甘肅、湖北、湖南、廣西、四川、雲南、貴州和臺灣，在農業上的發展最快，而且人口不斷由「已開發區域」往「開發中區

〔註 4〕Peter C. Perdue, “The Qing State and the Gansu Grain Market 1739-1864”, Thomas G. Rawski and Lillian M. Li ed., Chinese History in Economic Perspective, pp.100-125. Endymion P. Wilkinson Studies in Chinese Price History,（Ph. D. Dissertaion Princeton University , 1970）, New York: Garland Publishing, Inc.,1980.

域」移動，其中，漢水流域（包括湖北北部、河南西南部、陝西南部及甘肅的東南角）至清末都有大量人口移入。王業鍵進一步探討「已開發區域」與「開發中區域」二個地區之間的經濟關係，發現由前者向後者輸出資本、工業產品、技術知識，以及給予財政上援助，後者則向前者輸出原料及糧食等產品，並以糧食爲最重要的輸出產品。在整個清代，糧食的轉運是一直不斷地從「開發中區域」往「已開發區域」流動——從四川、湖廣至江浙，從臺灣至福建，從廣西至廣東，從東北至直隸、山東以及東南沿海，從陝西到山西。〔註 5〕

根據上述觀點，陝西屬於「開發中區域」，向外輸出糧食，因此，從農業部門來看陝西的農業經濟，其糧食生產除自給外，尚有餘糧可外運。但實際上，陝西省內各地區糧食生產情況不一，陝北、關中、陝南三區農業生產技術水平各區存在高低不一的差異。陝北地形複雜，農業生產條件差，一年僅能一熟，且技術較落後，但因人口稀少，可耕作面積廣大，所以糧食供給大多可以自給；而關中地區自古農業發達，爲著名的農業區之一，又有良好的耕作條件與農田水利設施，因此，糧食產量高，大多州縣都有糧食剩餘與商品糧輸出；陝南地區在清代，因爲農業技術得到改進與提高，高產作物的種植除滿足當地糧食供給之外，一年又可兩熟，糧食複種程度高，所以有餘糧可供外運。其中，陝南地區在清代農業經濟的發展上較爲突出，屬於新興地區。〔註 6〕整體看來，陝西省內各地區糧食生產雖然大致符合王業鍵的研究結果，但有區域差異。

關於陝西省內區域的劃分，除張萍以外，大多數學者也以自然環境來界劃陝西省，由北而南可分爲陝北地區、關中地區在與陝南地區。其中陝南地區是指陝西省秦嶺以南地區，範圍包括秦嶺山地、漢中盆地及部分大巴山地。〔註 7〕而本文研究對象陝南地區，是指漢中府、興安府和商州三府州，主要是

〔註 5〕 所謂廣泛性成長，就是一個經濟單位所生產的物資與勞務總量的增加，而每人平均產量則未改觀。王業鍵，〈清代經濟芻論〉，收入王業鍵，《清代經濟史論文集》，第 1 冊，頁 7～15。

〔註 6〕 張萍，〈明清陝西商業地理研究〉（西安：陝西師範大學歷史地理研究所博士論文，2004 年），頁 28～33。

〔註 7〕 陝南是指今陝西省秦嶺以南地區，區域範圍包括秦嶺山地、漢水等河流沖積而成的平原和沿河谷地，及部分大巴山地，是一個「八山一水一分田」的富饒山區。陝西省的三大自然地理區與清代陝西的行政區劃大致相同而略有出入。清代陝南地區主要分屬於三個行政區，即漢中府、興安府及商州直隸州，

以中國農業生產部門中的糧食作物分布與輪作制度劃分，做爲區域界定的考量依據。若就地理範圍而言，以自然環境劃分的前者，與以糧食作物分布和輪作制度來區劃的後者，兩者所涵蓋的區域範圍大致相同，可視爲同一地區。

十八世紀中國糧食作物分布最顯著的特色是「南稻北麥」。南北二大農業區域，以秦嶺和淮河爲分界線。此線以北，糧食作物以小麥爲核心，搭種粟米、豆、高粱、青稞等旱地作物。此線以南，糧食作物以稻爲中心，搭種二麥、油菜，或豆、蕎等其他糧食作物。〔註 8〕南方稻作區的範圍則包括長江流域及其以南的十二個省分，以及陝西南部、河南東南一角。〔註 9〕

在這二大農業區域內的糧食作物分布，又可依照各種作物在各地區所佔的重要性，劃分爲七個區域——在秦嶺、淮河線以北，有「春麥區」、「冬麥高粱小米區」、「冬麥小米區」；其餘四區在此線以南，即「水稻小麥區」、「水稻豆麥區」、「水稻雙穫區」，和「水稻雜糧區」。此處特別指出，稻作分布並不侷限於南方，至於北方各省部分地區，尤其有水利灌溉的地方，如山西的遼州、保德州，河南的彰德府、歸德府，甘肅的甘州府、寧夏府，也有稻的栽植，山東也有旱稻的生產，不過栽種面積小，產量不多。另外，天山南北路各農業綠洲和河流谷地，也都有水稻栽植的記錄。至於陝西的稻產區，主要在漢中、興安、商州等府州，而漢中、興安、商州的地理位置分布也在秦嶺以南，所以納入「水稻小麥區」。〔註 10〕

此外還包括西安府的孝義廳、寧陝廳。其中興安府在清初沿襲明朝舊制，稱興安直隸州，到了乾隆四十七年九月十七日升直隸州爲府，置安康縣爲府之附郭，裁漢陰縣入安康縣。呂卓民，〈明代陝南地區農業經濟的開發〉，《西北大學學報（哲學社會科學版）》，1996 年第 3 期，頁 86。耿占軍，《清代陝西農業地理研究》（西安市：西北大學出版社，1996 年），頁 7。薛平拴，《陝西歷史人口地理》（北京：人民出版發行，2001 年），頁 18。吳賓、黨曉虹，〈明清時期陝南地區移民及農業開發成因的研究〉，《中國農學通報》，第 21 卷第 10 期（2005 年 10 月），頁 405。趙常興、周敏，〈移民對清代陝南地區農業經濟的開發與制約〉，《安徽農業大學學報（社會科學版）》，第 13 卷第 1 期（2004 年 1 月），頁 30。牛平漢主編，《清代政區沿革綜表》（北京：中國地圖出版社出版，1990 年），頁 437。

〔註 8〕王業鍵、黃翔瑜、謝美娥，〈十八世紀中國糧食作物的分布〉，收入王業鍵，《清代經濟史論文集》，第 1 冊，頁 74。

〔註 9〕王業鍵、黃翔瑜、謝美娥，〈十八世紀中國糧食作物的分布〉，收入王業鍵，《清代經濟史論文集》，第 1 冊，頁 89。

〔註 10〕「水稻小麥區」包含江蘇省揚州府及其以南各府，浙江省的杭、嘉、湖三府，安徽省的淮河以南至沿江各府（廬州、太平、安慶三府，六安、滁州、和州

圖 1：清代陝西行政區劃圖（嘉慶二十五年）

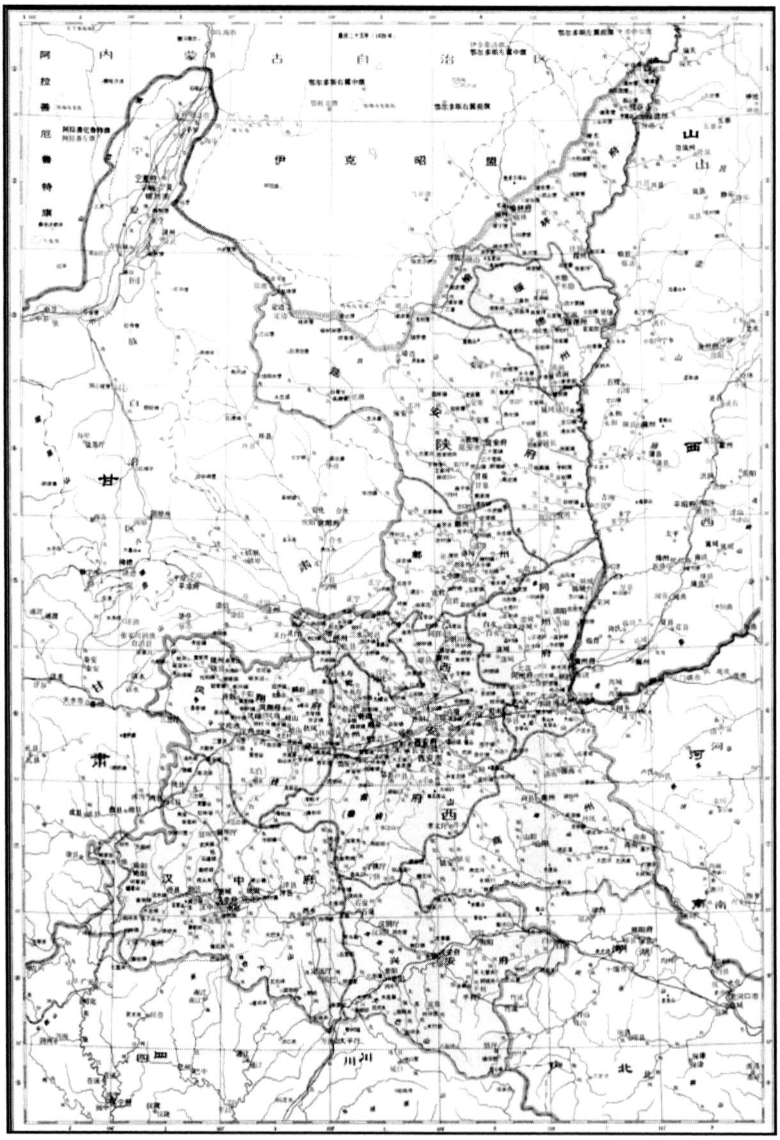

資料來源：修改譚其驤，《中國歷史地圖集》（北京：中國地圖出版社，1996 年），第 8 冊，頁 26～27。

三州），湖北全省，四川省松潘廳、懋功廳、雅州府、寧遠府一帶以東的各府屬，以及陝西省南部的漢中、興安、商州三府州，河南省的汝寧、光州二府州，湖南省北部的永順、辰州、澧州、常德、岳州等五個府屬。王業鍵、黃翔瑜、謝美娥，〈十八世紀中國糧食作物的分布〉，收入王業鍵，《清代經濟史論文集》，第 1 冊，頁 75～76、91。

圖 2：清代陝南地區行政區劃區（嘉慶二十五年）

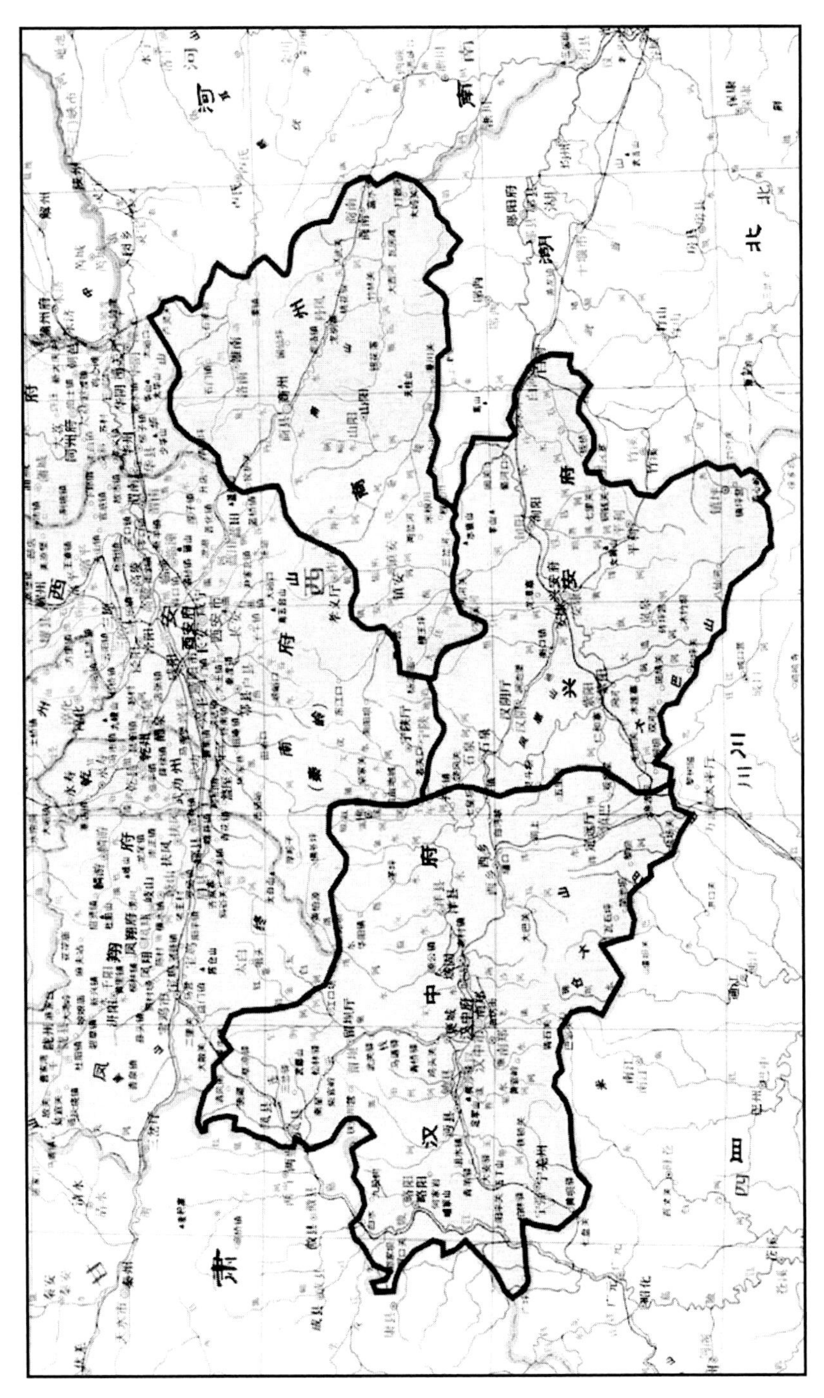

資料來源：修改譚其驤，《中國歷史地圖集》，第 8 冊，頁 26～27。

輪作制度方面，在南稻北麥線以南，東起江蘇、浙江、福建的部分府區，西至四川盆地，包含長江流域多數省分的這一廣大地帶，盛行稻麥輪作制及稻與春花輪作制，一年皆能二穫，可稱爲「稻麥春花一年二穫區」，是屬於以稻作爲核心的輪作制度。其中陝南地區的漢中、興安、商州三府州，都是水田居多，以稻作爲主，複種二麥、春花。〔註 11〕「稻麥春花一年二穫區」在部分山多、旱地多的地區，則存在以小麥爲中心的旱作一年二穫制。例如：陝南三府州山區在麥收後種豆、粟米、高粱，或實行麥和玉米輪作。〔註 12〕

綜合以上，以糧食作物分布和輪作制度這兩方面來考量，以小麥爲主要糧食作物的陝西省，雖然陝北地區、關中地區與陝南地區皆有稻米的種植，但是陝北與關中地區稻米種植面積不大，且多呈點狀或線狀分佈，而陝南地區的漢中、興安、商州三府州則是陝西省最適合種植稻米，稻田面積也最廣的地區。〔註 13〕因此，就陝西稻米糧食市場而言，陝南的漢、興、商三府州之間，應比這三府州與省內其他地區之間的關聯更爲緊密、相關，甚至可被視爲同一個糧食市場區（市場圈／經濟區)。但是依糧食作物分布和輪作制度劃分而成的陝南地區，是否屬於同一個糧食市場區？在這個區域內，稻米的流通運輸是否互通有無，以及其糧食價格的變化（尤其是米價）是否對彼此產生高度的影響，或呈現一致性的變動趨勢？這些問題的思考，實是著眼於由農業部門中的作物生產及輪作體系形成的陝南三府州，是否也可構成一個經濟區？而關於經濟區的構成與確立，必須透過市場整合（Market Iintegration，或統合，意指不同地區價格變動的一致程度）研究來解決。〔註 14〕

一般而言，對目前清代陝西市場整合的相關研究成果，例如與糧食生產有關的農業發展，與農業商業化有關的商品流通或運輸網絡，以及市場體系的區劃等相關議題必須有所認識，以期瞭解目前這幾方面的論述。對於以陝南，三府州爲對象的糧食市場區（市場圈／經濟區）的研究，達到如何的境地。以下分爲三方面來考察。

〔註 11〕又陝南漢、興、商三屬，水田冬作廣種二麥、菜子、豌豆、春蕎。王業鍵、謝美娥、黃翔瑜，〈十八世紀中國的輪作制度〉，收入王業鍵，《清代經濟史論文集》，第 1 冊，頁 122。

〔註 12〕王業鍵、謝美娥、黃翔瑜，〈十八世紀中國的輪作制度〉，收入王業鍵，《清代經濟史論文集》，第 1 冊，頁 125。

〔註 13〕耿占軍，《清代陝西農業地理研究》，頁 77～78。

〔註 14〕謝美娥，《清代臺灣米價研究》（臺北：稻鄉出版社，2008 年），頁 28。

壹、與糧食生產有關的研究

與王業鍵、黃翔瑜、謝美娥同樣在農業生產發展方面的探討，還有呂卓民、耿占軍、薛平拴、吳賓、黨曉虹、趙常興、周敏、劉揚、劉立榮、朱宏斌、樊志民等人。〔註 15〕從學者的研究成果，可以了解清代陝西的經濟基礎是農業，但入清以後，由於連年內戰荒旱等因素的影響，使陝西的農業生產一度受挫，而後因實行招撫流亡的休養生息政策，與極力開發秦巴山區，使陝西農業生產獲得新的契機，除生產糧食作物之外，雜糧及經濟作物也廣泛種植。有關糧食作物的種植，呂卓民認爲明代陝南地區的糧食作物主要有以麥類爲主的夏糧作物，和以稻、黍、豆類爲主的秋糧作物。其中麥類包括大小二麥及青稞、燕麥與蕎麥，黍類有稷、粟、粱，豆類有黃豆、胡豆、黑豆、小豆等。而稻作分布相對集中於漢江（漢水）谷地的漢中府屬各州縣。而糧食作物的分布，吳賓、黨曉虹、趙常興和周敏等人的研究，一致認爲清代陝南除了漢中平原和一些谷地之外，多爲丘陵和高山之地，因此，陝南的農業結構基本上形成了立體農業，即按照地勢劃分，由低到高爲平原——丘陵——高山三個階梯。在陝南的一些平原、谷地種植水稻。在丘陵地多種植旱地作物，主要有大小麥、豆類、高粱等，其中尤以玉米種植面積爲最大。在海拔較高的高寒區，則以燕麥、蕎麥、馬鈴薯等耐寒作物爲主。劉揚與劉立榮在農業結構上，雖然沒有如同吳賓等人依照地勢來劃分，但也有相類似的觀點，認爲隨著流民進入秦嶺及大巴山低山丘陵區，以原始的刀耕火種方式進行開墾，山地的大片森林被玉米、土豆等農作物取代，玉米成爲主要秋糧作物，至於適應高寒、高產的馬鈴薯也在陝南其它農作區推廣開來，逐漸成爲種植面積僅次於玉米的主食。〔註 16〕

〔註 15〕呂卓民，〈明代陝南地區農業經濟的開發〉，頁 86～90。耿占軍，《清代陝西農業地理研究》。薛平拴，《陝西歷史人口地理》。吳賓、黨曉虹，〈明清時期陝南地區移民及農業開發成因的研究〉，頁 405～407。趙常興、周敏，〈移民對清代陝南地區農業經濟的開發與制約〉，頁 29～32。劉揚、劉立榮，〈試述清代陝南自然環境的變遷〉，《新西部》，2008 年第 10 期，頁 56～57、68。吳賓、朱宏斌、樊志民，〈明清時期陝南農業商品化發展及其成因〉，《西北農林科技大學學報（社會科學版）》，第 5 卷第 4 期 2005 年 7 月，頁 172～176。

〔註 16〕漢江即漢水，屬於長江中游的支流，主要分佈於湖北、陝西、河南三省，在湖北境內一般稱爲漢水，在陝西境內也稱爲漢江。漢江源於陝西寧羌州境，清代時經漢中、興安二府的沔縣、南鄭、城固、洋縣、西鄉、石泉、漢陰、紫陽、安康、洵陽、白河等十一州縣，東入湖北省境。漢江是長江諸支流中最大的一

圖 3：十八世紀中國糧食作物分布區域圖

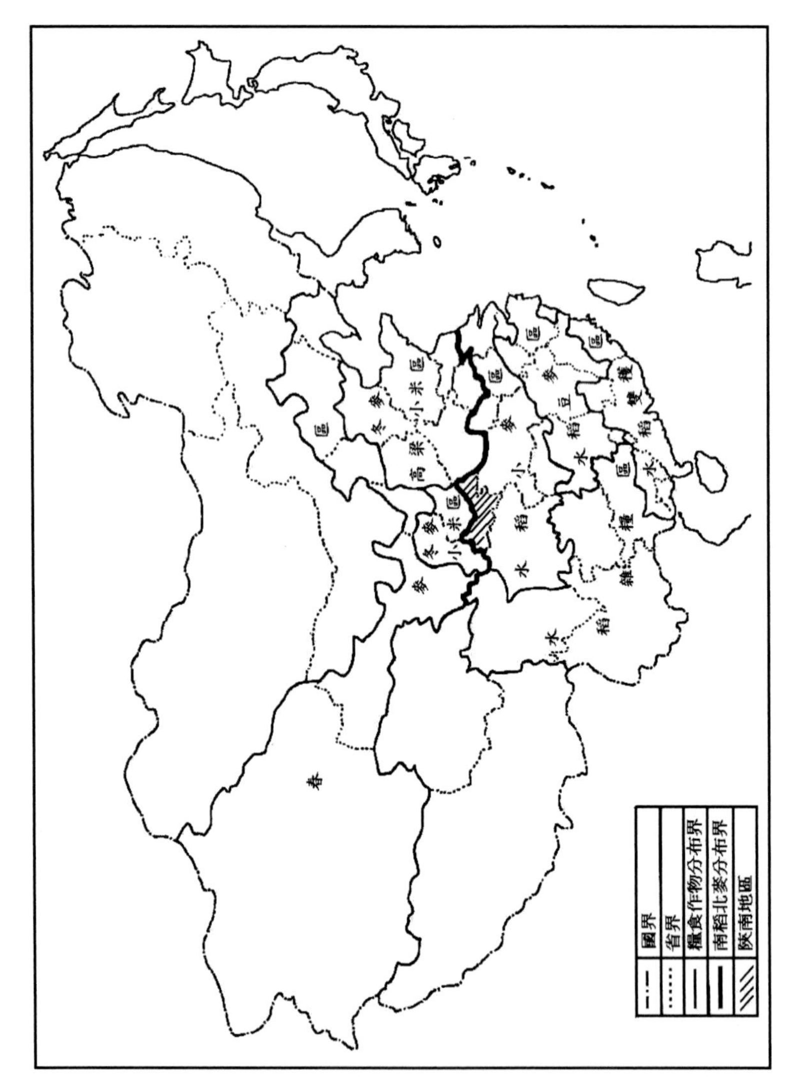

資料來源：王業鍵、黃翔瑜、謝美娥，〈十八世紀中國糧食作物的分布〉，收入王業鍵，《清代經濟史論文集》（臺北：稻鄉出版社，2003 年），第 1 冊，頁 77。

支，也是陝西境內的第二大河流，年流量超過黃河而居於陝西各河的第一位，水量豐富，給航運業的發展提供了便利條件。鄧亦兵，《清代前期商品流通研究》（天津：天津古籍出版社，2009 年），頁 56～57。呂卓民，〈明代陝南地區農業經濟的開發〉，頁 88～89。吳賓、黨曉虹，〈明清時期陝南地區移民及農業開發成因的研究〉，頁 405。趙常興、周敏，〈移民對清代陝南地區農業經濟的開發與制約〉，頁 30。劉揚、劉立榮，〈試述清代陝南自然環境的變遷〉，頁 56。

圖 4：十八世紀中國輪作制度分布圖

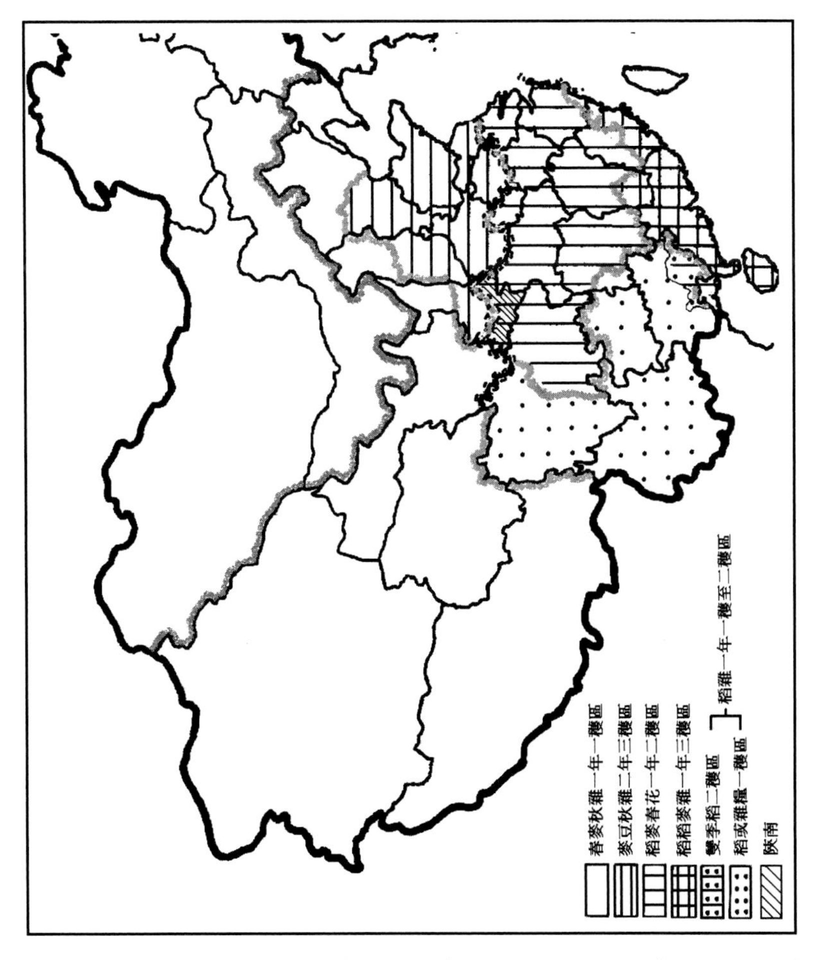

資料來源：王業鍵、黃翔瑜、謝美娥，〈十八世紀中國糧食作物的分布〉，收入王業鍵，《清代經濟史論文集》（臺北：稻鄉出版社，2003 年），第 1 冊，頁 109。

耿占軍較有系統地將不同農作物分門別類說明，並依據地方志中有關清代陝西農業的記載製成表，由此可清楚得知清代陝西各地主要糧食作物的整體分布，呈現出兩個顯著的特徵：一是水平分布，即陝北地區以黍粟類作物所占比重最大；關中地區則是大、小麥所占比重最大；陝南地區比較複雜，其河谷、盆地以稻、麥作物爲主，而山地在乾隆三十年以前以黍粟類作物爲主，以後則以包穀爲主。二是垂直分布（限於山地），即高寒山區以種植馬鈴薯、苦蕎爲主，燕麥也偶有種植；低山丘陵在乾隆三十年前以粟穀爲主，以後則以包穀爲主；河谷平原地區則以種植水稻和大、小麥爲主。至於輪作制度，耿占軍則認爲陝南地區，氣候條件優越，但因地形複雜，土質肥瘠懸殊，因此，此區糧食作物的分布區域差異比較大。乾隆前期以前，陝南地區多爲一年一熟制，山內旱地爲粟黍，山外旱地則宜大、小麥，水田爲稻。但就山外旱地在陝南所占比重不大，所以大、小麥在陝南是不如稻和粟黍重要。後來隨著南方流民的移入，稻麥一年二熟制和玉米小麥一年二熟制逐漸得以推廣，雖然大、小麥在陝南各地的種植面積較之前普遍，但就夏秋作物而言，仍是以稻和玉米最爲重要。〔註 17〕

綜合呂卓民、吳賓、黨曉虹、趙常興、周敏、劉揚、劉立榮、耿占軍等人的研究可知，陝南地區雖然地處山區，開發又晚，但因實行稻麥間種兩熟制，與玉米、馬鈴薯等高產作物的引進和普遍種植，使得糧食產量快速增加，經濟發展迅速。根據這些學者在論著中提及的明清時期陝南糧食作物的種類，除耿占軍較爲詳盡之外，其餘大致與王業鍵、黃翔瑜、謝美娥的研究結果相近；但是在糧食作物的分布方面，吳賓、黨曉虹、耿占軍等人主要是按照地勢劃分，並未以各種作物所佔的重要性來劃分農作區，也就是沒有明確指出其所研究的陝南屬於哪一個糧食作物分布區域。在輪作制度方面，耿占軍與吳賓、朱宏斌、樊志民皆認爲明清時期陝南地區已開始實行稻麥間種兩熟制，還提及玉米小麥一年二熟制的發展；而呂卓民、劉揚、劉立榮都以稻、黍、豆類和玉米爲陝南地區的主要秋糧作物。由此可知，吳賓、朱宏斌、耿占軍等人的研究內容大致與王業鍵、謝美娥、黃翔瑜所劃分的「稻麥春花一年二穫區」相符合，沒有超出其研究結論。換言之，從與糧食生產有關的研究所顯示的區域分劃來看，陝南似可構成一個經濟區（市場區／市場圈）。〔註 18〕

貳、與農業商業化有關的商品流通與運輸路線的研究

長期以來明清時期陝西及西北地區的商品經濟與市場網絡研究，是中國區域經濟史研究中相對薄弱的一環。然而透過目前有限的研究成果，仍可一

〔註 17〕耿占軍，《清代陝西農業地理研究》，頁 71～100。

〔註 18〕吳賓、朱宏斌、樊志民，〈明清時期陝南農業商品化發展及其成因〉，頁 174。呂卓民，〈明代陝南地區農業經濟的開發〉，頁 88。劉揚、劉立榮，〈試述清代陝南自然環境的變遷〉，頁 56。

窺陝南地區這一方面的研究進展。陝南地區經過多次的大規模移民使人口、耕地都大幅增長，大面積稻田的開墾和包穀爲主的各類雜糧廣泛種植，使得糧食產量大大提高，不僅可以讓更多的勞動力轉移到經濟作物的種植，或進行手工業生產，也使一部分糧食剩餘產品和糧食加工品成爲商品，到市場上參與商品的交換和貿易，對促進農業商業化發展起了很大的作用。伴隨著農業商業化生產發展，陝南地區在明清時期商賈貿易日趨活躍，交易的商品種類和規模也不斷擴大。〔註 19〕

吳賓、朱宏斌、樊志民、鄭豔、張萍從陝南地區的區位和交通情況來看，認爲該地區地處五省（甘肅、四川、湖北、河南、山西）交界，北有丹江（丹水），中有漢江（漢水），南依嘉陵江，江河密集連通南北，水運條件較關中、陝北略微優越。雖然漢江（漢水）水險，商業運輸條件不比江南，但船運較陸運畢竟省時省力，商品流通頻繁。除漢江（漢水）水運外，丹江（丹水）、嘉陵江及其支流仍有通航條件。嘉陵江成爲陝南各州縣聯繫川、甘的門戶。〔註 20〕

此外，李剛也在其研究中強調漢江（漢水）上游是漢中、興安兩府地區與江漢經濟區聯繫的「黃金通道」；自乾隆以後，陝南的大部分商品，都經漢江（漢水）運往湖北。而長江中下游地區的手工業品，也沿漢江（漢水）溯流而上，運至安康等地，再轉銷陝南各縣以及川北、隴東。至於丹江（丹水）水運在明清時期，隨著商品經濟的發展，也成爲聯繫陝西、河南、湖北中西部貿易的「黃金通道」。〔註 21〕漢江（漢水）和丹江（丹水）水運除主要幹線外，支線密佈輔以陸路而深入內地，不僅快捷便利，而且運費甚低。因此，明清時期陝南地區傳統的陸路運輸，逐漸被以漢江（漢水）和丹江（丹水）水運爲主體的水路交通所代替，成爲商品貿易的主要途徑。例如：湖北與陝

〔註 19〕吳賓、朱宏斌、樊志民，〈明清時期陝南農業商品化發展及其成因〉，頁 174。鄭艷，〈漢中城的興起與繁榮及其原因〉，《四川大學學報（哲學社會科學版）》，2004 年增刊，頁 240。

〔註 20〕丹江（丹水），亦名兩河、州河、寨河，發源於秦嶺南麓，流經陝西省商縣、丹鳳縣、商南縣，和河南省的淅川縣，於湖北省均縣入漢江，爲漢江最大支流。李剛，《明清時期陝西商品經濟與市場網絡》（西安：陝西人民教育出版社，2009 年），頁 201。吳賓、朱宏斌、樊志民，〈明清時期陝南農業商品化發展及其成因〉，頁 175。鄭艷，〈漢中城的興起與繁榮及其原因〉，頁 240。張萍，〈明清陝西商業地理研究〉，頁 72、85。

〔註 21〕李剛，《明清時期陝西商品經濟與市場網絡》，頁 171～173、206、210。

西之間糧食運輸路線，一條是沿漢江（漢水），從襄陽運往陝南漢中地區。乾隆中期以前，糧食流向從襄陽溯漢江（漢水）運往漢中。中期以後，漢中地區農業發展，水稻盛行於河谷平原，山區雜糧產量也增加。到乾隆四十三年，漢中糧食順漢江（漢水）反銷襄陽、漢口。另一條運輸路線是沿漢江（漢水），從襄陽到小江口，再沿丹江（丹水）到陝西龍駒寨，然後陸運到商州、西安。

漢中、興安、白河縣、龍駒寨都是當時的商品主要中轉站。物資由漢江（漢水）運至漢中，江上以漢中爲聚散中心，再分別運到安康、老河口、襄陽、漢口、湖廣，是川、陝、甘三省貨物的進出碼頭，所以漢中很快成爲隴東、川北、鄂西北的農副產品、手工業品主要集散地，明清時期陝南的經濟中心，與清代西北的商業、手工業重鎮。〔註 22〕

由於具有優越的水運條件，整個清代陝南地區商品經濟發展比關中、陝北要活躍許多。商業市場不斷興起，集鎮林立，州縣商品交換遠大於關中、陝北，水上交通運輸爲此區商品經濟的發展提供保障條件；並以漢江（漢水）水運爲主，與湖北、四川形成一個市場聯繫體系。〔註 23〕

上述研究主要著眼於明清時期漢江（漢水）水運對陝南地區商品流通網絡發展的影響，以及位處漢江（漢水）上游的漢中，因漢江（漢水）水運的興起，使其在陝南地區的地位愈形重要來進行論述。此外，馮歲平則從漢中歷史道路交通主要幹道始終維持著一南一北的體系，來說明漢中的地理區位的重要性與特點。所謂漢中交通道路一南一北的體系，即是指穿越秦嶺、巴山各一條，南北相連，貫通一線的主幹線特徵。歷史上以漢魏褒斜道——金牛道、唐宋褒斜道——金牛道、明清及後連雲棧道爲主的面目出現，並以漢中盆地爲交匯點，褒斜與金牛相連，構成聯繫關中與四川的主幹道路。〔註 24〕

綜合上述有關商品流通與運輸路線的研究發現，大部分學者皆因漢江（漢水）水運的流通路線，西從川陝邊界的寧羌州，流經漢中、興安兩府十五縣、廳，東至陝鄂交界，漢江（漢水）支流丹江（丹水）則自商州與西安

〔註 22〕鄧亦兵，《清代前期商品流通研究》，頁 60。李剛，《明清時期陝西商品經濟與市場網絡》，頁 179、191～192。吳賓、朱宏斌、樊志民，〈明清時期陝南農業商品化發展及其成因〉，頁 175。鄭艷，〈漢中城的興起與繁榮及其原因〉，頁 240。

〔註 23〕張萍，〈明清陝西商業地理研究〉，頁 86。

〔註 24〕褒斜道：褒水（今褒河）、斜水（今石頭河）；金牛道：漢水上游與嘉陵江；連雲棧道，即北棧（秦棧）與南棧（蜀棧）。馮歲平，〈漢中歷史交通地理論綱〉，《漢中師範學院學報》，1998 年第 3 期，頁 35、37。

府邊界的西北方，流經商州、龍駒寨、商南，最後流入東南方的河南省。由此可知，漢江（漢水）與丹江（丹水）流域幾乎涵蓋整個陝南地區，而位於漢江（漢水）水運流通網絡中心的漢中，則被視爲陝南地區的經濟中心。即使李剛在其研究裡，將陝南地區分爲漢江（漢水）上游與丹江（丹水）流域兩個商品流域與市場網絡進行個別討論，但實際上，丹江（丹水）水運也是屬於漢江（漢水）水運的支流之一，因此，可以把這兩個商品流域與市場網絡視爲同一個漢江（漢水）水運的流通網路範圍。由此可進一步推論，處於漢江（漢水）上游的漢中，除了是漢江（漢水）水運中心之外，也是陝南地區的經濟中心，其商品流通腹地範圍即陝南地區，換句話說，陝南地區可視爲以漢江（漢水）水運爲主要流通網路的市場區（市場圈／經濟區）。〔註 25〕

參、關於市場體系的研究

　　隨著農業商業化的興盛發展，促使商品交易的場所，即市場體系有了明顯的變化，由初級的農村市集，逐漸發展爲次級市場，最後甚至可能成爲當地的中心市場。一般而言，一地區是否能發展成爲城市，除了與農業、手工業品的發展，勞動力的充足否，及其是否位在水陸交通上的重要地位等因素有著絕對關係；此外，商品的流通與市場體系的形成，也都與交通脫離不了關係。而這裡所指的「市場」，是經濟學上的一個基本概念，可分爲兩個層面，即實體和抽象之分。實體的市場，是指買賣雙方在一定的時間和特定的空間進行交易的場所；抽象的市場，不限定在特定的交易場所，指的是事實的交易行爲，偏重於交易結果的價格與數量，是交易雙方廣泛結合所體現的社會關係。〔註 26〕屬於前者範圍的研究又可分爲兩種不同方式來進行探討，一種是以陝西區域內的市鎮、各層集鎮做爲研究對象，來分析市場網絡體系的形成，另一種則著眼以商品的流通網絡或長程貿易的規模，來探討中國各地區之間經濟發展的關聯，以及分析各區域之間市場體系的相互關係。此外，透過兩地或多地之間主要商品的流通及其價格的變化，來探討彼此間的關聯程度（整合度），特別是用來處理看不見的、非物質陳設運作的市場，則屬於後者的研究範圍，即市場區／經濟區的研究。〔註 27〕以下分別從實體市場體系

〔註 25〕丹江主要流經商州、龍駒寨、商南。李剛，《明清時期陝西商品經濟與市場網絡》，頁 154、201。

〔註 26〕李剛，《明清時期陝西商品經濟與市場網絡》，頁 180。

〔註 27〕謝美娥，〈十九世紀淡水廳、臺北府的糧食市場整合研究〉，頁 2。

與抽象市場體系這兩個不同層面，來瞭解近人對清代陝南地區在商品流通發展下，形成的市場體系的研究，達到何種的境地。

一、實體市場體系

實體市場體系的研究範圍，除了以買賣雙方在一定的時間和特定的空間進行交易的場所，即一般所說的市鎮、市街、各層集鎮等具體的交易場所之外，也包含用商品流通範圍的分析，來進行推測市場規模的大小。

利用商品經濟與長程貿易規模來對十九世紀中期以前的中國，進行全國市場研究的學者有吳承明、李伯重等人。吳承明以十九世紀中期以前，中國全國總產量和主要商品數量進行國內市場估計與考察。認爲明朝到清代，中國國內市場從商運路線增長，水運具現代規模，與長距離販運貿易品種增多，貿易量增大，以及市場上工業品總値超過農產品等變化，反映出商品經濟的發展，促使市場規模不僅明顯擴大，市場結構也有所改變。作者認爲長途貿易的發展主要是因爲若干缺糧地區所導致，並不是因爲手工業和經濟作物區擴大商品生產所推動的，所以造成了市場的狹隘性和長距離貿易的侷限性。〔註28〕

李伯重在文中首先對全國市場（national market）做一番定義，認爲所謂的全國市場就是一個全國性的整合的市場，但這一種敘述性的形容，不同於本文主題的市場整合（integration of market）概念。作者透過施堅雅（G. William Skinner）的經濟巨區（economic macrovegion）理論，重構十九世紀初期中國的全國市場。他認爲從結構與本質上來看，清代中國的一個經濟區通常由一個人口密集的核心區和圍繞著這個核心區的邊緣區組成，一個區域市場也由一個中心和其最大的商業腹地組成。並以長江水系、大運河和沿海三條水路爲基礎，呈現出一種三叉形的枝狀空間結構的全國市場情況。由此可知，全國市場的中心應當是經濟最發達，且處於水運系統中心地位的地區。〔註29〕

隨著商品經濟的發展，商品流通的範圍與其他地區更形緊密，促使市場規模不僅明顯擴大，市場結構也有所改變。而清代陝西地區的市場也呈現出如此變化，逐漸形成多層次的結構特性。目前對清代陝西地區的市場結構或網絡，進行相關研究的代表有張萍與李剛等人。張萍主要利用施堅雅的區域

〔註28〕吳承明，〈論清代前期我國國內市場〉，收入吳承明，《中國資本主義與國內市場》（臺北：谷風出版社，1987年），頁311～336。

〔註29〕李伯重，〈十九世紀初期中國全國市場：規模與空間結構〉，《浙江學刊》，2010年第4期，頁5～14。

體系與農村市場體系理論，來分析清代陝西的市場體系結構，發現以州縣爲單位的各級市場不僅構成地方商品流通的網絡體系，也成爲基層商品流通的紐帶與橋樑。張萍的清代陝西市場系統結構圖，明顯符合施堅雅所強調的三級市場體系，這可用來說明清代陝西已經形成一個較爲完備的市場體系。在清代陝西市場系統結構中，主要以西安、涇陽（西安府）、三原（西安府）做爲構成陝西的省級商業中心的核心，而由其所聯繫的榆林、咸陽、漢中分別構成陝北、關中、陝南的地區商業中心。各地區之間的貿易往來，因受到交通與行政的干擾，所以整合的市場體系之下仍存在著許多子系統。陝北、關中、陝南地區雖各成一體，但是這三個地區的內部因受到交通條件的限制，而分散爲幾個小的區塊。例如：陝南地區的興安府城（安康）爲地方城市市場，聯繫府內的若干州縣，形成小區域市場體系，擔負著一定的商品中轉與傳輸作用，是清代陝西市場體系中的中樞。〔註30〕

同樣對明清陝西市場進行研究的李剛，對陝西以三原（西安府）、涇陽（西安府）爲中心所形成的雙層市場網絡體系，進行全景式的描述和分析；並且分別對位在陝西及西北連接漢口中部中心市場的網絡末端，與東部商品進入陝西主要通道——漢江（漢水）、丹江流域中的主要市場體系，即漢中（漢中府）、安康（興安府）、商州（商州）進行探討，說明陝西自明清以來已形成以涇陽（西安府）、三原（西安府）爲中心市場，以龍駒寨（商州）、鳳翔（鳳翔府）爲橫座標，以延安（延安府）、漢中（漢中府）爲縱座標，並聯繫各州縣市場、集鎮貿易的市場網絡結構。此外，作者也運用施堅雅的中國農村市場等級理論，將清代漢中、興安兩府做爲一個區域經濟來分析其實際市場情況，認爲漢中、興安兩府的經濟與東南沿海相比，並不是很發達，但因優越的地理環境（便利的漢江（漢水）水運），使兩地不僅成爲連接四川、關中、湖北、甘肅的中轉站，也成爲連接江漢與東南沿海經濟區的中心區。〔註31〕

〔註30〕張萍，〈明清陝西商業地理研究〉，頁218。

〔註31〕李剛，《明清時期陝西商品經濟與市場網絡》，頁62～95、179～196。

圖 5：清代陝西市場系統結構圖

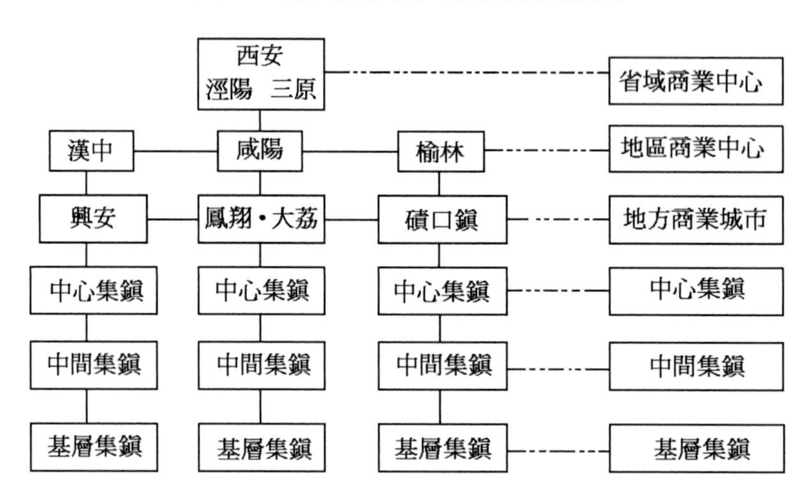

資料來源：張萍，〈明清陝西商業地理研究〉（西安：陝西師範大學歷史地理研究所博士論文，2004 年），頁 218，圖 9～6。

透過上述研究論著，筆者認為，研究實體市場體系這一方面的學者大多透過商品的流通，或長途運輸規模的觀點，進行中國全國市場、區域市場，或市場網絡體系的研究。這些研究成果，可讓我們對十九世紀中期以前的中國，關於商品流通與長途運輸的概況有基本的認識，並瞭解明清以來中國市場體系的分布與結構，與交通運輸條件優越與否有緊密的關聯。至於陝西，雖然張萍與李剛對清代陝西市場體系網絡的區劃上有些差異，但基本上，都肯定處於漢江（漢水）上游的漢中，由於優越的交通運輸條件，而成為陝南地區的地區商業中心，也就是說，我們可將陝南地區視為同一個市場區（市場圈／經濟區），而漢中即位於此市場區的核心。

二、抽象市場體系

一般人所認知的市場，大多以具體的市場，是指買賣雙方在一定的時間和特定的空間進行交易的場所而言，就是一個或多個能夠提供買賣雙方進行產品與勞務交易的場所，具有硬體設施。在經濟學中的市場經濟，所強調的是「市場」的「價格」功能，即以交易的「商品」歸類，而不計較其交易場所。本文主題中的「市場」概念，也傾向於經濟學所指的某一項商品買賣雙方的交易行為，而非一般所認知的實體市場。〔註 32〕

〔註 32〕李又剛、林志鴻、賴錦璋，《經濟學原理》（臺北：華泰文化，2003 年），頁

近來隨著數據史料的開發與前人研究理論的應用，擴大了市場體系的研究面向，此即市場整合研究，不僅對中國全國市場進行跨省區的整合研究，也針對某一省或省內地區的區域市場進行整合分析。但是採用何種商品價格做爲分析依據才具有代表性？根據目前清代物價史的研究可得知，以影響民生經濟最深遠的糧食價格最具有代表性，其變動與社會經濟的相關極爲密切。

有關清代糧價的相關研究，早期的學者大多從清代各朝的宮中檔奏摺、地方志書或文集等文獻資料，來擷取糧價數據資料進行考察，但所收集的資料缺漏不一，數據不一致，因此研究所得的結果也未必都正確無誤。近年隨著「清代糧價資料庫」的建立，使學者在研究糧價方面，有了較之前完整的數據資料可用。此批糧價數據資料最早是應用於以糧價本身爲主的數列建構，與分析糧價變動的情形，屬於糧價的「基礎研究」；而後隨著糧價數據資料的完備，將此糧價資料研究範圍擴及與人口、氣候、災荒、貨幣、工資、利息、地價、地租、市場整合、賦稅負擔、生活水平、糧價與政治社會事件的關聯等課題，是爲「延伸研究」。本文屬於糧價研究課題中的「延伸研究」，但也包含了部分的「基礎研究」，是以糧食價格的變動來測定糧食市場的整合程度，進而確認經濟區的成立。〔註33〕

如本節所述，雖然在農業部門，可依據糧食作物分布與輪作制度將陝南劃分爲「水稻小麥區」，但是對於以生產小麥爲主的陝西省區內的陝南地區，就稻米生產而言，究竟可不可以劃分爲同一糧食市場區，則可透過兩種方法來界定其市場範圍，一種是以米穀流通方向及其流通終點的變遷來劃分區域，另一種是以米價變動的相關程度做爲衡量依據。兩者雖然都屬於糧食供需關係的研究，但仍有差異。前者主要是尋找史料文獻中有關糧食流通記錄來佐證；後者則涉及糧食市場整合的探討，主要依據稻米價格數列的相關分析來界劃糧食的市場區域與其遠近關係。〔註34〕筆者回顧清代陝西經濟的研究成果時發現，大多學者的研究方向屬於前者，著重於記述性史料的探討，

35～36。

〔註33〕完整的米（糧）價研究應包含兩個先後相關聯的層次：基礎研究和延伸研究。前者指運用可靠的糧價史料，檢測糧價數據，據之建立一個糧價時間數列，以此數列分析價格的各種變動，並對糧價變動尋求合理的解釋因素。後者則是立於前者研究之上才得以進行，包含相對物價如工資、利息、地價、地租等的比較，以及探討區域間的市場整合、賦稅負擔、生活水平、糧價與政治社會事件的關聯等課題。參見謝美娥，《清代臺灣米價研究》，頁4～5。

〔註34〕謝美娥，〈十九世紀淡水廳、臺北府的糧食市場整合研究〉，頁2。

至於後者，目前僅見美國學者威爾金森（Endymion P. Wilkinson）利用二十世紀最初十年的陝西糧價細冊（藏於日本東京大學東洋文化研究所），對陝西地區的稻米、小麥、小米、豌豆價格進行分析，考察是否已構成一糧食市場區。就稻米市場而言，威爾金森認爲陝西省內不同地區有不同的供需條件，例如：每個城鎮有自己主要的生產中心，而且米價因受限於水路運輸條件的不同，導致米價並未隨著距離遠近而增加運輸成本。因此，威爾金森認爲整個陝西地區並沒有形成一個統一的市場區，甚至在稻米主要產地的市場整合程度也不明顯。〔註35〕

近年來以清代糧價清單爲數據史料，進行米價變動來分析各地區之間經濟的關聯性，即探討市場的整合程度，在研究成果上已有不少論著，代表學者有全漢昇、王業鍵、黃國樞、王國斌、李中清、李明珠、濮德培、馬立博、陳春聲、陳仁義、張瑞威、謝美娥等人。（詳後文）其研究範圍以區域爲主，可細分爲三種不同的區域層級，第一種是跨越好幾個不同省分的地區，即以施堅雅（G. William Skinner）的巨區理論做爲研究範圍，加以驗證。第二種是單獨就一個省分爲研究對象，進行省內各區域間的關聯性分析。第三種是省級以下的區域，例如府級、縣級或更小的空間範圍，探討府與府之間或更小空間單位之間的市場整合程度。這三種研究皆取得了重要的研究成果，試述如下。

透過糧價清單對第一種區域層級，即施堅雅（G. William Skinner）八大巨區體系進行市場整合研究的學者有，王業鍵與黃國樞、黃瑩玨、陳仁義、胡翠華、周昭宏等人共同合作，其研究對象以經濟最富庶的地區——長江下游爲中心，擴及長江中、上游、東南沿海、華北及嶺南地區；東南沿海地區除了王業鍵發表了數篇文章來探討以外，還有謝美娥也將研究範圍擴及到臺灣與東南沿海、長江下游、華北地區；而張瑞威也對華北與長江下游兩地區進行跨區研究；李中清（James Z. Lee）探討雲貴地區；嶺南地區馬立博（Robert B. Marks）、陳春聲討論兩廣。其次，單獨就一個省份爲研究對象，進行省內各區域間的關聯性分析的有，李明珠（Lillian M. Li）研究華北地區的直隸一省；濮德培（Peter C. Perdue）探討西北地區的甘肅；關於長江中游的研究，還有王國斌（R. Bin Wong）與濮德培（Peter C. Perdue）共同研究湖南一省；東南沿海地區有王業鍵研究福建一省。最後對第三種區域層級的相關研究

〔註35〕Endymion P. Wilkinson *Studies in Chinese Price History*, 1980.

有，謝美娥研究臺灣北部地區，鄭生芬討論江西省贛南地區，以及李建德探討四川省成都平原地區。以下將揭示上述各論著的研究成果來瞭解研究現況，並指出可再繼續研究的地方，藉以表明本文研究的重要性。

與第一種區域層級相關，且範圍包含了長江下游、長江中游、東南沿海、華北地區與嶺南地區五個巨區的有，王業鍵與黃國樞〈十八世紀中國糧食供需的考察〉，以及 Yeh-Chien Wang, "The Secular Trend of Price in the Yangzi Delta（1638～1935）"二篇論著。這兩篇研究的範圍大致相同，都包含長江三角洲和長江下游各省區主要兩個府州——蘇州和杭州、東南沿海的泉州府、長江中游地區的漢陽、在北中國的淮安，與嶺南地區的廣東省，這些地方分佈於施堅雅（G. William Skinner）所劃分的五個人口眾多的大區域。作者以這五府和一省代表施堅雅（G. William Skinner）的五個巨區（macroregions）進行米價分析，前一篇的糧價時間斷限主要在十八世紀乾隆時期，後一篇的糧價時間斷限長達三個世紀，結果發現這幾個巨區的米價變動相當一致。作者在〈十八世紀中國糧食供需的考察〉一文進行相關分析得出，除了廣東以外，其他五府的價格都呈現明顯的同步變動趨勢，表示這五府彼此之間有高度相關。而王業鍵在"The Secular Trend of Price in the Yangzi Delta（1638～1935）"一文中也認為蘇州與其他地區的關聯性很顯著。根據上述，顯示蘇州處於這五府一省所代表的中國糧食市場的中心地位。因此，作者推論，十八世紀中國各地區經濟並非孤立，大部分地區具有相當高度的整合性，這表明一個全國性的糧食市場已經形成，反證了施堅雅（G. William Skinner）認為巨區之間彼此各自孤立的觀點。〔註 36〕

與上述研究相關的還有張瑞威的論著。張瑞威透過探討中國北方沿運河地區的大米供應情況，來驗證王業鍵論著中論及有關中國北方大米市場整合的觀點，並企圖釐清在十八世紀是否出現一個包括華北地域的全國性的米糧市場。作者認為雖然南北大運河的興建使江南和華北的交通改善，運輸成本下降，刺激了兩地的商品交易，但實際上這兩個地域並沒有因此結合為一個經濟單位。並舉作為當代主要長程貿易商品的江南稻米為例，作者認為漕糧

〔註 36〕Yeh-Chien Wang, "The Secular Trend of Price in the Yangzi Delta（1638-1935）" in Thomas G. Rawski and Lillian M. Li ed., *Chinese History in Economic Perspective*,（Berkeley and Los Angeles, CA: University of California Press, 1992）, pp.35-69.王業鍵、黃國樞，〈十八世紀中國糧食供需的考察〉，收入王業鍵，《清代經濟史論文集》，第 1 冊，頁 137～160。

制度使得北京及其附近的人口，可以從地區市場上購買到低於產地大米的零售價格，而對兩地的長程稻米貿易發展產生消極的作用。因此在十八世紀，中國並非如王業鍵所說的已經出現一個全國性的稻米市場，甚至沿大運河的商業城市間，稻米市場也沒有整合；但他也不完全認同施堅雅的理論，認爲其理論的弱點是沒有考慮政府政策對市場整合上的作用。〔註 37〕

除了上述跨越五個巨區的研究外，王業鍵另文與黃瑩玨合作，以清代中葉淮河以南沿海缺糧的四個省分，即江蘇、浙江、福建、廣東作爲研究對象。從「清代糧價資料庫」擷取 1741～1760 年蘇州、杭州、泉州和廣州的糧價月資料，做時間數列與相關分析。作者發現，蘇、杭米價關係程度很高，但與泉州、廣州兩府之間的關係相對低很多，這表示長江三角洲和珠江三角洲這兩個經濟上最先進地區市場，在十八世紀中葉整合程度尚低，而此觀察結果在某種程度上支持了施堅雅（G. William Skinner）視清帝國爲八個經濟大區，且各個大區經濟上仍相當孤立，尙未整合形成一個全國性市場的看法。但是，廣州和泉州這兩府雖然分屬「嶺南地區」和「東南沿海地區」這兩個經濟大區域，卻在米價變動上有著高度相關，這表示當時泉、漳一帶與潮州常有米糧互運，而廣州更經常有糧食運往潮州，因此閩粵沿海市場趨於整合，並非如施堅雅（G. William Skinner）所認爲各巨區間彼此相互獨立；又泉州與蘇、杭二府米價變動相關分別爲 0.44 和 0.55，顯示且福建沿海與長江下游經濟地區也有相當程度整合，並非各自孤立。〔註 38〕

其後，陳仁義、王業鍵、周昭宏再撰文印證王業鍵與黃瑩玨一文的研究結果，明顯地支持該文的研究結論。即認爲十八世紀的長江三角洲和珠江三角洲這兩個中國樞紐地區，在經濟上的關聯仍薄弱，但是糧食不足地區與有餘地區之間的地域分工與經濟交流情形極爲明顯，可得知各個經濟大區市場關聯性雖高低不同，卻非完全各自孤立。並且認爲，以長江三角洲爲中心，地理上和交通運輸上愈接近核心區的地區，市場整合程度則愈高。〔註 39〕

此外，王業鍵與陳仁義合著的"Grain Market in Eigtheenth-Cnetury China"

〔註 37〕張瑞威，〈十八世紀江南與華北之間的長程大米貿易〉，《新史學》21 卷第 1 期（2010 年 3 月），頁 149～173。

〔註 38〕王業鍵、黃瑩玨，〈清中葉東南沿海糧食作物分布、糧食供需及糧價分析〉，收入王業鍵，《清代經濟史論文集》，第 2 冊，頁 79～117。

〔註 39〕陳仁義、王業鍵、周昭宏，〈十八世紀東南沿海米價市場的整合性分析〉，收入王業鍵，《清代經濟史論文集》，第 2 冊，頁 179～207。

是一篇檢測六大巨區（華北、東南沿海、嶺南以及長江上、中、下游）米、麥兩種糧價的論述，可視爲王業鍵對施堅雅（G. William Skinner）理論的總結。作者在這六個巨區內各選擇一核心與邊緣府州進行糧價同步性測試，並檢驗此六大巨區間的市場整合。透過巨區內核心與邊緣關係的比較後發現，除華北以外，其他五個巨區內的米價爲高度相關；麥價部分，則以長江上游和下游兩個巨區間的關係最爲顯著。各巨區內的核心區的米價相關爲，長江下游和中游的市場整合度高於長江下游與東南沿海，以及長江下游和嶺南之間的市場整合度，但與華北的淮安也有高度關聯，至於長江上游則獨立於此外。這意味著長江下游在十八世紀仍然與中國其他地區的市場整合度並不高。但若以長江三角洲爲核心，沿著長江、東南沿海和大運河之間，與該區的蘇州距離越近，其價格同步性則愈明顯。〔註 40〕

繼王業鍵對臺灣與福建省糧食市場整合進行研究外，還有學者對同一課題再深入進行區域內及區域間市場整合關係的探討。謝美娥承襲王業鍵先前研究東南沿海地區糧食市場整合的方法外，加長了米價的時間下限和擴大地理範圍，以十八世紀臺米流通爲中心，進行臺灣米穀輸出與其近處週邊（福建、廣東）、遠處週邊（長江下游）米糧市場關聯程度的驗證。據其米價相關分析顯示，東南沿海地區的三個次級糧食市場區，以臺灣和沿海的福州、興化、泉州、漳州互通性最高；閩江上游的建寧、邵武、延平和浙省的處州、溫州大都屬糧食有餘區；而閩西南的永春、龍巖、汀州和廣東的潮州、嘉應之間關聯則較爲緊密。至於臺灣與廣東省潮州府也有顯著的米價關聯，但與浙江的三府（處州、溫州、臺州）和長江下游地區的米價相關則較低。上述相關分析的結果與王業鍵的研究有著明顯的差異，因此作者透過史料來加以輔證、說明其分析所得。其分析結果顯示，臺灣和福州、興化、泉州、漳州在十八世紀的市場整合程度最高，但隨著距離的遠近，以及糧食流通未必能持續長久，所以臺灣與浙江或長江下游地區之間的市場整合程度，並不如王業鍵、陳仁義研究所認爲的那般顯著。〔註 41〕

〔註 40〕王業鍵、陳仁義，“Grain Market in Eigtheenth-Cnetury China”，收入王業鍵，《清代經濟史論文集》，第 3 冊，頁 397～416。

〔註 41〕謝美娥，〈餘米運省濟民居，兼及西浙與東吳——十八世紀臺米流通及其與週邊地區糧食市場整合的再觀察〉，中央研究院人文社會科學中心地理資訊科學研究專題中心、香港中文大學歷史系及太空與地球信息科學研究所聯合主辦，「明清時期江南市場經濟的空間、制度與網絡國際研討會」，臺北：中央

同屬於第一種區域層級——跨省的糧價研究，還有李中清（James Z. Lee）對雲貴兩省的分析。作者透過兩種定量分析方法來檢驗十八世紀的市場整合性。一種是以相近的價格水準區間劃分出幾個次區域，即假設米價愈接近的話，其稻米市場整合度愈好。另一種是，由價格相關分析的相關性，來推測市場整合程度。根據分析結果指出，儘管西南地區的貿易受限於地理上的阻隔，但至少在雲南和貴州的某些區域已形成一個廣大的米價同步區。此外，李中清也指出市場、天氣和戰爭等因素，對西南地區的米價波動造成相當程度的影響。〔註 42〕

馬立博（Robert B. Marks）有兩篇探討兩廣市場整合的論著，亦是跨省的區域研究。馬立博利用價格相關性、價格差異的相關性與變異係數三種不同的統計測試方式，對兩廣 1738～1795 年的價格數據進行分析，檢測市場整合程度。作者透過統計分析印證了文獻史料的記載，廣州處於兩廣的主要市場中心，並透過位爲第二市場的梧州，來支援廣州的需求。並認爲兩廣的糧食交易，由官方安排的糧米供應廣州時已經開始，但是到乾隆中期，兩廣稻米市場受到政府的干預已逐漸減少。因此，在十八世紀時，兩廣已形成一個整合程度相當高的稻米市場，其區域範圍大致符合施堅雅（G. William Skinner）所描述的嶺南巨區邊界。〔註 43〕

馬立博（Robert B. Marks）另文與陳春聲共同探討乾隆時期（1707～1800），一個高度整合的廣東稻米市場在嶺南巨區發展的情形。作者將 1707～1800 年分爲三個時期來探討米價變動的因素。在第一個時期（1707～1731），主要是因爲可耕作土地面積比例較前一世紀來的高，而且加上良好的氣候條件，與廣東經濟受通貨緊縮的影響逐漸減少等因素，所以即使有地方政府大量採購糧倉的行爲，但是米價仍傾向於低而穩定。第二個時期（1731～1758），因人口成長率增加與地方政府增加了糧倉的採購，導致米價大幅增加。第三個時期（1762～1800），米價變動的幅度比人口成長率低，且這時期的米價比前一個時期更穩定、更少變異，產生一個整合廣東與廣西的市場。並根據統計結果發現，第三時期稻米價格要比之前兩個時期來的更穩定與更

研究院，2009 年 10 月 5～6 日，頁 1～30。

〔註 42〕 James Z. Lee, *State and Economy in Ssouthwest Chins*, 1250-1850, unpublished.

〔註 43〕 Robert B. Marks, "Rice Prices, Food Supply, and Market Structure in Eighteenth – Century South China", Late Imperial China Vol. 12, No. 2（December 1991）, pp.64-116.

可預測。因此，作者認爲在沒有地方政府干預的狀況下，米價會隨著市場操作而平滑的變動。〔註 44〕

除上述有關嶺南地區的研究外，陳春聲利用資料較齊全的乾隆十五年至三十四年（1750～1769）米價數據，以價格相關、價格差相關和價格方差相關三種數理分析方式，來考察十八世紀廣東十三個府州和廣西東部五個府州米糧市場的整合方式及程度。分析結果發現，位於區內米糧貿易中心的廣州米價，與省內大多數府州有極高的相關性之外，也與珠江水系中的西江流域的羅定州、肇慶府，北江上游的韶州府、東江下游的惠州府之間有著高度關聯。另外作者從廣州、潮州、惠州與泉州四個府州的相關分析中，發現彼此間的相關係數都在 0.8 以上，說明了潮州府無論是在區內或是對區外都存在著密切的貿易關係，不同於施堅雅（G. William Skinner）理論中所主張巨區間彼此相互孤立的觀點。

至於廣西東部五個府州中的梧州、潯州、平樂、柳州，與廣東廉州府之間也有較強的相關性，並與史料中所記載，兩廣之間主要是依賴西江水運來運載米糧的情形相符，由此可知，廣西愈靠近西江下游的府州，也就是距離水運路線愈近的府州，與廣東的關係愈緊密。但是從相關分析結果卻發現，位於海外的瓊州府米價變動與大陸各府州之間似乎並不同步同向，與史料記載高、雷、廉三府屬米穀大量運往瓊州的情形相矛盾，陳春聲則推測認爲可能是資料的眞僞或其他因素所造成，有待日後發掘更多資料再進行研究。〔註 45〕

與第二種區域層級，即單獨以一個省分爲研究對象，進行省內各區域間關聯性分析的相關研究。在華北地區，有李明珠（Lillian M. Li）收集 1738～1910 年直隸十七個府州的小麥、小米、高粱價格，來分析直隸的穀價。透過長期趨勢觀察發現，十八世紀小麥、小米、高粱的價格上漲極爲緩慢，十九世紀初曾急速上升，但到 1830～1850 年價格又急遽下跌，後來直到清末爲止，價格都是穩定上升的。根據考察結果，李明珠認爲季節變化和災荒歉收對價格的影響並不大，主要是透過發達的市場體系運作，與政府常平倉發揮穩定

〔註 44〕Robert B. Marks and Chen Chunsheng, " Price Inflation and It's social, Economic, and Climatic Context in Guangdong Province ,1707-1800" *T'oung Pao*, vol.81,No.1（1995）, pp.109-152.

〔註 45〕陳春聲，《市場機制與社會變遷——18 世紀廣東米價分析》（臺北：稻鄉出版社，2005 年）。

物價、救濟飢荒功能的相互作用影響下，而使得省內地區的價格變動呈現顯著的相關性。至於季節變化和災荒歉收爲什麼對價格的影響不大？李明珠則認爲與當地實施的輪作制度有關。因爲種植多種穀物，其收穫季節也不盡相同，所以使季節變動不明顯，並且緩和災年的穀價變動。〔註 46〕

長江中游地區的研究有，王國斌（R. Bin Wong）、濮德培（Peter C. Perdue）使用 1738～1805 年湖南省內十三個府州上米價格中的高價與低價數列，分別進行省內米糧貿易的定性和定量分析，透過考察米糧貿易的規模、範圍，與米價變動趨勢，來說明十八世紀湖南米糧市場的整合程度。依據考察結果發現，十八世紀湖南省十九個主要及次要的縣級米糧市場，都集中位於洞庭湖及湘江流域的五個府州內，屬於以河流運輸爲主的出口米糧市場。而且根據價格數列資料分析顯示，該地區的米價變動相當穩定，出口米糧市場區的府州之間，與府州內的市場都呈現高度的整合性。〔註 47〕

西北地區則有濮德培（Peter C. Perdue）從糧價清單中，擷取甘肅省十三個府州在 1739～1864 年的粟米低價價格數據進行相關分析，並輔以倉儲和軍需方面的情形，探討當時甘肅糧食市場的整合情況，以及清政府對該市場的影響。濮德培認爲清朝的軍事行動促使甘肅貨幣經濟化，加上西北地區商業發展的結果，使得十八世紀的甘肅糧食市場已呈現相當高的整合程度；再從省內十一個府州市場的變異係數分析結果得知，在十八世紀末到十九世紀前半葉間，甘肅的糧食市場仍維持整合狀態並持續發展。〔註 48〕

與東南沿海地區的相關研究有，王業鍵對福建各個地區的糧食供需變化進行考察，擷取 1745～1756 年間邵武、福州、泉州和臺灣四個府的米價進行時間數列分析，發現缺糧最嚴重的泉漳地區米價最高，米價最低的是內陸三個餘糧府中的邵武。雖然臺灣是餘糧最多的府，卻因爲餘糧主要供應閩南，很少北運，因此米價高於缺糧的福州；此外，王業鍵再從位於邊緣地區糧食有餘的臺灣和位於核心地區糧食不足的泉州的米價變動情況來說明，核心地

〔註 46〕 Lillian M. Li, "Grain Prices in Zhili Province, 1736-1911: A Preliminary Study," in Thomas G.. Rawski and Lillian M. Li ed. ,*Chinese History in Economic Perspective*, pp.69-99.

〔註 47〕 R. Bin Wong and Peter C. Perdue, "Grain Markets and Food Supplies in Eighteenth–Century Hunan" in Thomas G. Rawski and Lillian M. Li ed. , *Chinese History in Economic Perspective*, *Perspective*, pp.127-145.

〔註 48〕 Peter C. Perdue, "The Qing State and the Gansu Grain Market 1739-1864", pp.100-125.

區的米價高於邊緣地區，而且兩者間的價格變化相當一致。最後，王業鍵根據糧食供需的狀況，大致把福建省的糧食市場分爲三個主要的市場區，來瞭解該省的糧食貿易情形。三大市場區：(1) 南區：泉州、漳州除了主要依賴臺灣的供應之外，也從東南亞、溫州、蘇州運進糧食。(2) 閩江流域區：閩江上游的三個府——延平、邵武、建寧，成爲福州糧食供應者。(3) 西區：汀州依靠江西的供應，相對隔絕於福建地區。〔註 49〕

最後，第三種區域層級，是進行省級以下地區市場整合程度的探討。近來學者雖大多以稻米價格來探討市場整合，但主要是著眼於巨區間核心市場彼此之間的關聯性探討，即使有論及臺灣地區，其處理的時間和區域，也是聚焦在十八世紀和臺灣與外域的米糧市場爲對象，至於臺灣內部的糧食市場整合，仍較缺乏切合此議題的研究成果。到目前爲止，僅有謝美娥對十九世紀的臺灣區內糧食市場整合進行考察。謝氏主要擷取「清代糧價資料庫」十九世紀分府後的臺北府米價，輔以兩種民間帳簿——淡水河下游平原的《道光二十二年歲次壬寅吉置廣記總抄簿》、竹塹《敕封粵東義民祀典簿》整理出的米價，來進行相關分析。以廣義的淡水地區，即臺灣北部地區爲例，證明臺灣內部至少有極大的地區顯現出較高程度的糧食市場整合，其米產區之間的供需關係並不受到水路東西分流的運輸條件限制而各自獨立。經過可靠的量化分析與史料實證的結果顯示，臺北府與竹塹（1878～1893），廣記與竹塹（1843～1869）兩組數列都是高度的正相關。這意謂在十九世紀的淡水廳時期，北部臺灣地區內部互通有無的程度相當高，已呈現一個內部高度整合的糧食市場區。並從質性史料中有關淡水廳／臺北府的米糧供需流通情形，印證上述計量分析的結果。〔註 50〕

除了上述臺灣北部地區的區內研究之外，還有鄭生芬的江西省贛南地區以及李建德的四川省成都平原地區的研究，都是屬於省級以下區域的市場整合研究，在他們之前，尚缺乏對江西、四川的糧價研究。鄭生芬運用相關分析進行江西贛南地區贛州、南安、寧都州三府州的米價關聯研究，藉此瞭解十八世紀贛南地區米價的長期趨勢及彼此間市場整合情形。作者認爲這三府州的糧食市場爲高度整合的地區，因此可將贛南地區視爲一個糧食市場區。

〔註 49〕王業鍵、黃瑩珏，〈十八世紀福建的糧食供需與糧價分析〉，收入王業鍵，《清代經濟史論文集》，第 2 冊，頁 119～150。

〔註 50〕謝美娥，〈十九世紀淡水廳、臺北府的糧食市場整合研究〉，頁 1～42。

關於四川省成都平原地區成都府、嘉定府、邛州、綿州、眉州五府州，李建德也是相關分析進行該區內各府州的米價關聯研究。根據他的看法，十八世紀成都平原五府州的米價相關係數值都在 0.9 以上，爲極高度相關。所以這五府州屬於同一個市場區，彼此有著高度的整合。〔註 51〕

綜合上述三種不同層級的市場整合的研究，可發現大多數學者都專注於第一種與第二種區域層級，即巨區與巨區間的核心市場彼此的關聯性，以及單一省區內的市場關聯度的研究。然而就研究的空間範圍來說，研究重心明顯放在中國經濟發展較繁榮的華北、長江中游、長江下游、東南沿海與嶺南五個巨區，而其他巨區的糧食市場整合研究則較爲不足。以第三種區域層級的研究現況而言，關於糧食市場整合的研究則更加欠缺。特別是與本研究主題以陝南地區作爲研究對象，並利用「清代糧價資料庫」進行糧食市場整合的相關研究，在上述三種區域層級中，目前還是呈空白狀態，仍待填補。

總和上述，筆者藉由回顧清代陝西市場整合的相關研究成果，發現無論是與糧食生產有關的農業發展，或是與農業商業化有關的商品流通或運輸網絡，以及市場體系的區劃，不少的近人論著，都可間接或直接推導出，陝南地區可視爲一個市場區（市場圈／經濟區）。但細究這些學者對陝南地區的研究，所使用的材料大多數是從記述性史料中梳理出來，缺乏數據史料的支持。若單獨只以記述性史料來探討市場的關聯性，其完整性則略嫌不足，所以必須透過數據史料的分析，才能更具體地確立陝南地區是否構成一個糧食市場區（市場圈／經濟區）。

關於數據史料的選取，本文擬利用清代質量皆佳的數據史料——糧價清單中的價格數據進行研究。而這一種價格史料，已大部分收於王業鍵編的「清代糧價資料庫」。目前利用糧價資料來進行歷史研究的成果已不少，例如：王業鍵、謝美娥等學者，進行糧價的基礎研究；而糧價的延伸研究方面，近人如：全漢昇、王業鍵、黃國樞、王國斌、李中清、李明珠、濮德培、馬立博、陳春聲、陳仁義、張瑞威、謝美娥等人，進行有關糧食市場整合的研究。

但是對於糧價的研究，仍有許多學者使用傳統的定性方法，即以記述性史料來進行研究，只有部分學者以計量方法來進行研究分析，因此，隨著糧

〔註 51〕鄭生芬，〈十八世紀贛南地區的糧食市場整合研究〉，臺南：國立成功大學歷史學系在職專班碩士論文，2011 年。李建德，〈十八世紀四川的糧食市場整合——以成都平原爲中心〉，臺南：國立成功大學歷史學系在職專班碩士論文，2011 年。

價資料的整理與公開，也帶動除了一般所熟悉的歷史、經濟、政治考察以外的其他相關領域研究。此批資料應用於統計學上，透過糧價變遷的統計分析，正好可提供一個重要的參考指標或客觀印證。在陳仁義、王業鍵的〈統計學在歷史研究上的應用：以清代糧價爲例〉一文中，則從大量糧價資料的科學化分析著手，試著將統計科學和方法應用在幾篇已有初步研究成果的糧價論著上，從中獲取多方面的訊息，並提供一個客觀而具體的印證指標。例如：陳仁義、王業鍵、胡翠華在〈十八世紀蘇州米價的時間數列分析〉以統計模式化清代糧價資料序列值，將糧價變動視爲由趨勢性、季節性、週期性和不規則性等因子形成和相互影響，從蘇州府米價的實際資料分析結果發現，季節性變動非常顯著，大致上與糧食生產和收成的背景相互吻合；其中所利用數據資料的不完整和可靠性，則透過陳仁義、王業鍵、溫麗平、歐昌豪在〈清代糧價資料之可靠性檢定〉，已初步發展完成遺漏值填補法和資料可靠性檢測法；此外，又引用了週期頻譜法（Periodogram）來找週期性的存在和變動，其檢驗的結果也與王業鍵所用的直觀法所得結果相近。〔註 52〕將清代糧價資料庫應用於數學，或統計學等其他不同學科領域的研究，使用不同於傳統歷史學所使用的定性方法，而以科學統計方式來進行糧價分析，除上述論著外，目前已有不少研究成果發表。〔註 53〕

〔註 52〕陳仁義、王業鍵，〈統計學在歷史研究上的應用：以清代糧價爲例〉，《興大歷史學報》，2004 年第 15 期，頁 11～38。陳仁義、王業鍵、胡翠華，〈十八世紀蘇州米價的時間數列分析〉，收入王業鍵，《清代經濟史論文集》，第 2 冊，頁 151～177。陳仁義、溫麗平、歐昌豪，〈清代糧價資料之可靠性檢定〉，收入王業鍵，《清代經濟史論文集》，第 2 冊，頁 289～315。

〔註 53〕林志哲，〈清代糧價資料之研究〉，嘉義：國立中正大學數理統計研究所碩士論文，1996 年。溫麗平，〈清代糧價資料之探索性分析〉，嘉義：國立中正大學數理統計研究所碩士論文，1999 年。周昭宏，〈清代糧價資料之相關性分析〉，嘉義：國立中正大學數理統計研究所碩士論文，1999 年。賴建助，〈清代糧價資料之遺漏值估計〉，嘉義：國立中正大學數理統計研究所碩士論文，2000 年。歐昌豪，〈清代糧價資料庫之資料探索〉，嘉義：國立中正大學統計科學研究所碩士論文，2001 年。劉俊傑，〈清代糧價水平和糧食供需之統計檢定〉，嘉義：國立中正大學數學研究所碩士論文，2001 年。吳盈美，〈十八世紀清代糧價之統計分析——長江以南地區〉，嘉義：國立中正大學數學研究所碩士論文，2002 年。曾馨儀，〈十八世紀清代糧價之統計分析——長江流域〉，嘉義：國立中正大學數學研究所碩士論文，2002 年。薛汝芳，〈十八世紀清代糧價之統計分析——晉皖江浙地區〉，嘉義：國立中正大學數學研究所碩士論文，2002 年。楊嘉莉，〈兩湖地區清代糧價之統計分析〉，嘉義：國立中正大學數學研究所碩士論文，2002 年。

承上述，本文亦屬糧食市場整合的研究，在方法上，使用這種價格數據時，仍需以科學化記量方法來評估數據的可信度，並參考記述性史料進行質性研究以相互輔佐，所得的研究結果才更具有說服力，因此本文的研究方法，是以定量研究與和定性研究並行。

（一）定量研究

本文擬利用「清代糧價資料庫」中漢中府、興安府及商州的米價原始數據資料，進行米價數據的可靠性檢測，與補填原始數據資料中缺漏部分價格月份的遺漏值，建立一組較完整可靠的米價數列，並利用計量方法來進行米價長期趨勢及相關分析，通過米價的變動是否同步同向，以及關聯性的高低，來探討陝南地區的稻米糧食市場整合程度。

（二）定性研究

參考資料主要包括國立故宮博物院的「清代宮中檔奏摺及軍機處檔摺件」、清代《陝西志輯要》、陝西省漢中、興安、商州三府州縣志與鄉土志等史料，以及目前學者對清代陝西經濟發展研究的專書及論文等相關研究成果。

綜合上述，本文將以前人研究爲基礎，利用可靠的陝南地區漢中、興安、商州三府州糧價史料進行米價時間數列考察，透過科學的計量方法來進行分析，輔以記述性史料，期望能藉此瞭解十八世紀陝南地區漢中、興安、商州三府州，米價的長期變動趨勢以及彼此間糧食市場整合情況，探討陝南地區是否同屬一個市場區（市場圈／經濟區），填補目前對西北地區研究成果的不足。

第二章　陝南地區米價數據的可靠性評估

本章內容主要是將擷取自「清代糧價資料庫」的糧價數據史料進行可靠性評估，以便確認本文所使用的糧價數據史料是否可靠。其次，再進一步將已經過可靠性評估的糧價數據中，有缺漏的部分做補値的處理。在著手進行糧價數列分析前，首先對糧價陳報制度與擷取糧價數據史料來源的「清代糧價資料庫」作一簡略的介紹。

第一節　陝南地區的米價數據及其可靠性評估

壹、糧價陳報制度與「清代糧價資料庫」

清代糧價史料的來源豐富而多元，一般可見於奏摺、方志、文集、海關統計資料、帳簿以及報紙等文書記載。學者在進行糧價變動觀察與分析時，通常利用一種或數種不同的糧價史料來建立糧價數列。根據王業鍵在清代的糧價資料中，占最多數的是奏摺中所呈報的各地米價。奏摺中所陳列的糧價資料主要來自於糧價陳報制度的建立。糧價陳報制度形成於康熙後期，至乾隆初年大致確立。此制度的設立主要是因爲在中國傳統的農業社會裡，糧食供給充足與否對民生經濟的發展，與社會、政治的安定造成極大影響。所以政府爲了能掌握各地糧食供需的狀態，以便當某個地區發生糧食缺乏的問題時，能及時採取適當的措施，救濟災荒。另一方面，清代財政支出中的軍需採購、河工費用、倉穀的平糶與採買，需以市場的糧價作爲財務預算、考核

與報銷的依據，防止貪污，有效利用公款以維持行政秩序。基於上述，使得清代歷朝皇帝都相當重視糧價報告。〔註 1〕

清代的糧價陳報制度規定各級地方政府——縣、府（州）、省——需定期向上級呈報糧價，但報告內容包括了轄區內的晴雨、得雪、農作物生長狀況、作物收成預計及實收份數、各種主要糧食市價、人口，以及每年常平倉採買及平糶價格和數額。因此，這種例行性的糧價陳報，又被稱爲雨雪（水）糧價摺。糧價陳報制度中包含二種不同的報告：一種稱爲「經常報告」（Regular Report），另一種稱爲「不規則報告」（Special Report）。「經常報告」規定各地方縣級政府蒐集當地糧食市價後，旬報或月報給府（州）級政府查核並作概括性報告，再由府（州）級政府連同各州縣旬報彙呈給布政使。布政使根據各府州呈報的月報或旬報彙送給總督、巡撫，再由督撫每月向皇帝奏報。各省向中央陳報的糧價資料，除糧價單之外，布政使還需每月額外編製一份各州縣糧價細冊給戶部存查。由於各地度量衡的差異，地方官員爲使不同地區不同時間所呈報的糧價能夠相互比較，因此在謄寫價格時，先將當地通行的貨幣單位和容積單位，換算成官方規定的單位（庫平兩、倉石），並註明庫平銀一兩匯兌制錢的比率，或分別列出以銀和以錢表示的糧食價格，最後還規定選擇一府中哪些州縣的糧價去作比較，註明價格是否較上旬昂貴、持平，或是低下。〔註 2〕

〔註 1〕王業鍵，〈清代的糧價陳報制度及其評價〉，收入王業鍵，《清代經濟史論文集》（臺北：稻鄉出版社，2003 年），第 2 冊，頁 1～4。清代糧價陳報制度曾引起中外學者自一九六〇年代後期到八〇年代，先後進行討論。相關的著作還有：Endymion P. Wilkinson, “ The Nature of Chinese Grain Price Quotations, 1600-1900”, *Transactions of the International Conference of Orientalists in Japan*（國際東方學者會議紀要）, No. XIV, 1969. Endymion P. Wilkinson, “ Studies in Chinese Price History”（Ph. D. Dissertaion Princeton University , 1970:New York:Garland Publishing, Inc.,1980）, Chapter 4. Hna-sheng Chuan and Richard A. Kraus, “*Mid-Ch’ing Rice Markets and Trade: An Essay in Price History*”（Cambridge, Mass.:Harvard University Press, 1975）, Chapter 1. 劉嵬，〈清代糧價奏摺制度淺議〉，《清史研究通訊》，1984 年第 3 期，頁 16～19；陳金陵，〈清朝的糧價奏報與其盛衰〉，《中國社會經濟史研究》，1985 年第 3 期，頁 63～68；徐學初，〈清政府的糧價奏報制度與穩定市場糧價的政策〉，《國內外經濟管理》，1986 年第 2 期，頁 80～86 和 100；王道瑞，〈清代糧價奏報制度的確立及其作用〉，《歷史檔案》，1987 年第 4 期，頁 20；陳春聲，《市場機制與社會變遷——18 世紀廣東米價分析》，「附錄一　清代的糧價奏報制度」，頁 278～287。

〔註 2〕王業鍵，〈清代的糧價陳報制度及其評價〉，收入王業鍵，《清代經濟史論文

圖 6 爲陝西省乾隆四十八年（1783）十月分糧價清單，其書寫格式即爲上述的經常報告。這份奏摺首段題名爲乾隆四十八年（1783）十月分糧價清單，署名人是陝西巡撫畢沅，奏報陝西省乾隆四十八年（1783）十月分各屬米糧時價清單。書寫格式是依府及直隸州爲區域單位，將各種主要糧食價格依次列出。每府名稱之下註明價格水準（價平、價中、價貴字樣），以及和上月比較，何種糧價增加、減少或相同。糧食價格以倉石爲單位，並以銀兩表示。清單上的各種糧價爲各府屬一個月內的最高和最低價格。最後寫明奏報日期。

圖 6：陝西巡撫畢沅摺報乾隆四十八年（1783）十月分糧價清單
（部分）（以下四幅）

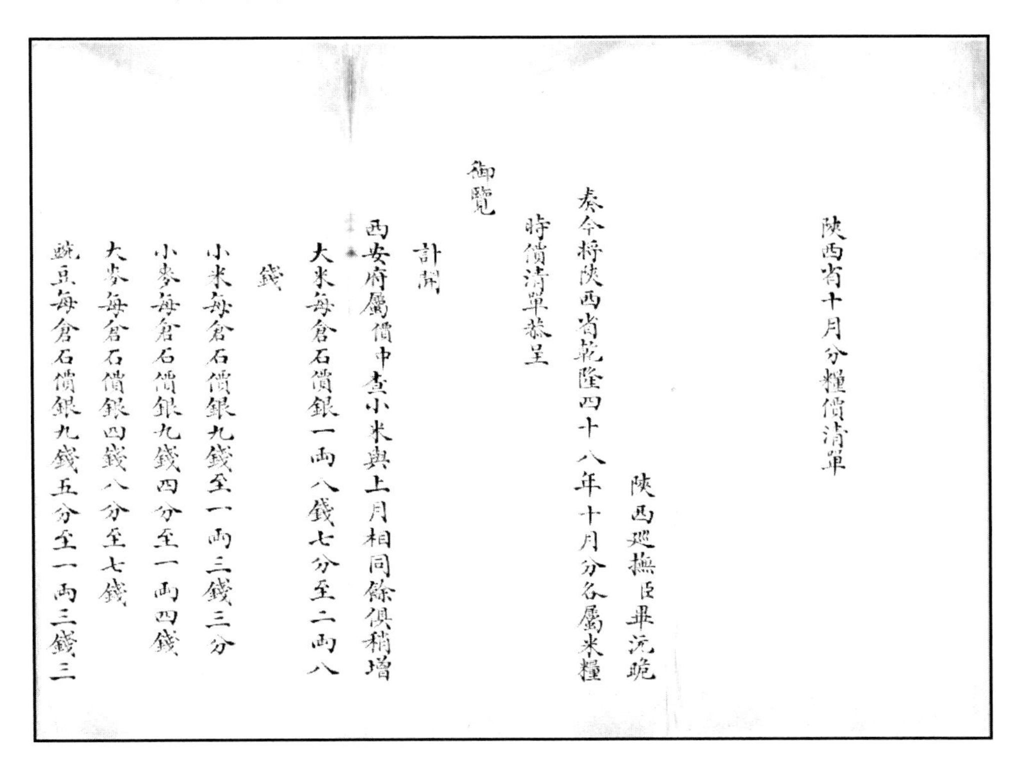
陝西省十月分糧價清單
陝西巡撫臣畢沅跪
奏今將陝西省乾隆四十八年十月分各屬米糧
時價清單恭呈
御覽
計開
西安府屬價中查小米與上月相同餘俱稍增
大米每倉石價銀一兩八錢七分至二兩八
錢
小米每倉石價銀九錢至一兩三錢三分
小麥每倉石價銀九錢四分至一兩四錢
大麥每倉石價銀四錢八分至七錢
豌豆每倉石價銀九錢五分至一兩三錢三

集》，第 2 冊，頁 4～20。王業鍵、黃國樞，〈清代糧價的長期變動（1763～1910）〉，《經濟論文》，第 9 卷第 1 期（1981 年 3 月），頁 1～3。

分
大麥每倉石價銀三錢七分至七錢
豌豆每倉石價銀七錢三分至一兩一錢二
分
漢中府屬價中查小麥大麥豌豆較上月稍增
餘俱相同
大米每倉石價銀一兩六分至一兩七錢
小米每倉石價銀七錢六分至一兩二錢
小麥每倉石價銀七錢八分至一兩
大麥每倉石價銀三錢五分至四錢八分
豌豆每倉石價銀六錢六分至一兩三錢八
分
黃豆每倉石價銀五錢至一兩
榆林府屬價中查米麥豆俱較上月稍增
大米每倉石價銀一兩六錢三分至三兩三
錢
小米每倉石價銀一兩三錢五分至一兩九
錢五分

糜米每倉石價銀一兩四錢四分至二兩四
分
小麥每倉石價銀一兩六錢二分至二兩二
錢二分
豌豆每倉石價銀一兩三分至一兩七錢五
分
同州府屬價中查小米較上月稍增餘俱相同
大米每倉石價銀一兩九錢六分至二兩六
錢六分
小米每倉石價銀一兩一錢一分至一兩四
錢
小麥每倉石價銀一兩一錢至一兩四錢七
分
大麥每倉石價銀四錢八分至七錢四分
豌豆每倉石價銀九錢八分至一兩五錢五
分
興安府屬價中查豌豆黃豆與上月相同大米
稍減餘俱稍增

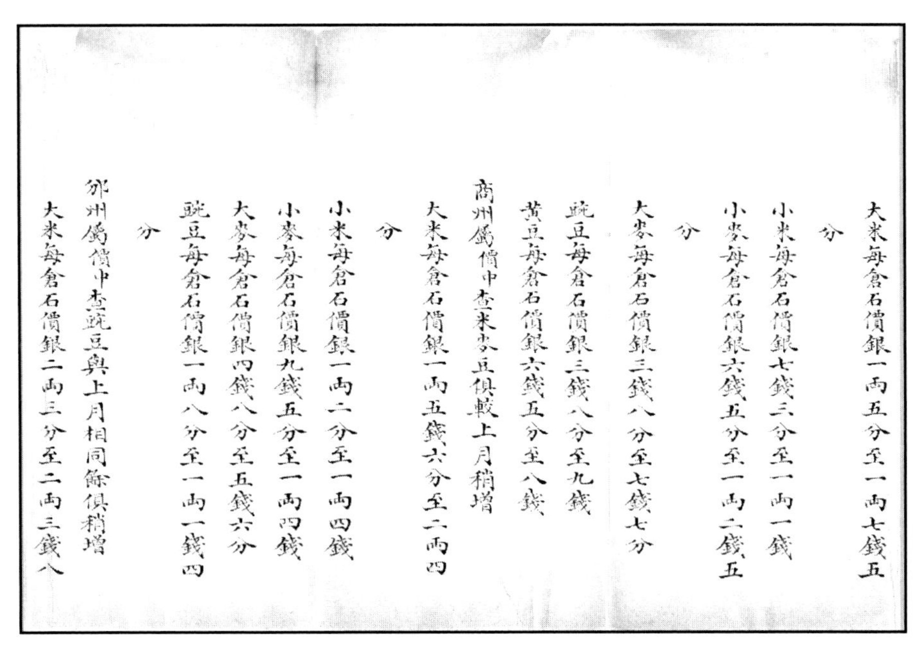

大米每倉石價銀一兩五分至一兩七錢五
分
小米每倉石價銀七錢三分至一兩一錢
小麥每倉石價銀六錢五分至一兩二錢五
分
大麥每倉石價銀三錢八分至七錢七分
豌豆每倉石價銀三錢八分至九錢
黃豆每倉石價銀六錢五分至八錢
商州屬價中查米麥豆俱較上月稍增
大米每倉石價銀一兩五錢六分至二兩四
分
小米每倉石價銀一兩二分至一兩四錢
小麥每倉石價銀九錢五分至一兩四錢
大麥每倉石價銀四錢八分至五錢六分
豌豆每倉石價銀一兩八分至一兩一錢四
分
邠州屬價中查豌豆與上月相同餘俱稍增
大米每倉石價銀二兩三分至二兩三錢八

資料來源：國立故宮博物院，「清代宮中檔奏摺及軍機處檔摺件」，文獻編號 035261。

「不規則報告」與「經常報告」最大的不同在於，「不規則報告」無論是時間、程序或報告形式方面，都較具有彈性。不規則的糧價報告有些是由各地將軍、提督、總兵呈送，由些是由中央官員如御史，到地方巡視時提出，有的是由織造陳報，也有的是由督撫隨時奏報，可作爲查核「經常報告」眞僞的參考資料，使負責「經常報告」的官員發生虛報或怠忽職守的情形大爲減少。〔註 3〕

圖 7 爲上述不規則報告的形式。由陝西興漢鎮總兵官杜愷在乾隆十六年（1751），報告興安及所屬地方雨水糧價的奏摺。書寫內容只提及地方得雨情形，與兩類主要糧食，即二麥和稻穀收成和成長的情況，至於糧食價格部分則以京斗爲單位，說並明價格區間與價格水準。最後寫明奏報日期。其書寫格式與圖 6 相較下，確實較彈性且簡略。

上述兩種奏報方式的糧價原始文件可見於清代官員的雨雪（水）糧價摺與糧價清單副件，以及與奏事相關的皇帝硃批、錄副抄本，目前分別收藏在

〔註 3〕王業鍵，〈清代的糧價陳報制度及其評價〉，收入王業鍵，《清代經濟史論文集》，第 2 冊，頁 4～20。王業鍵、黃國樞，〈清代糧價的長期變動（1763～1910）〉，頁 2～3。

臺北國立故宮博物院與大陸北京第一歷史檔案館。〔註 4〕王業鍵等人耗費了數十年的人力物力，將臺北故宮典藏的所有糧價清單、北京第一歷史檔案館發行的《宮中糧價單》327 捲微卷，建構成「清代糧價資料庫」（見圖 8）。資料庫中的糧價時間斷限自乾隆元年（1736）開始，至宣統三年（1911），可說是二十世紀以前中國歷史上最為豐富可靠，且時間連續最長的經濟數據資料，具有高度的學術研究價值。

圖 7：陝西興漢鎮總兵官杜愷摺報乾隆十六年（1751）雨水糧價摺（部分）

奏
陝西興漢鎮總兵官奴才杜愷跪
奏為
奏
聞事竊奴才興安及所屬地方春間夏首雨水糧價
奴才到營後留心訪查均據稱
皇上聖德格
天賜時若二麥收成豐稔市中糧食充盈三伏之中
及入秋以來雨澤調勻農夫均得及時興作稻
谷大半結實晚禾亦皆暢茂西成大有可望見
在糧價照依京斗米麥每斗均在一錢三四分
上下甚為中平地方寧謐兵民熙皞謹將二麥
收成及秋禾情形雨水糧價理合恭摺

資料來源：同圖 6，文獻編號 403000047。

〔註 4〕臺北故宮博物院已編輯出版康熙、雍正、乾隆、嘉慶、道光、咸豐、光緒朝的宮中檔，軍機處檔（奏摺錄副、糧價清單原件）也有原件影本，並自 1996 年開始進行檔案數位化處理，目前已完成「清代宮中檔奏摺及軍機處檔摺件」，http://www.npm.gov.tw/gct.htm。北京第一歷史檔案館編輯康熙、雍正朝滿漢文硃批、《雍正朝漢文諭旨匯編》、《乾隆朝上諭檔》、《嘉慶道光兩朝上諭檔》、《咸豐同治兩朝上諭檔》，以及《光緒宣統兩朝上諭檔》；奏摺錄副（筆者按：奏摺批閱後，類似今日的公文歸檔）已數位化、糧價清單則也已製成微捲。

圖 8：「清代糧價資料庫」首頁

資料來源：王業鍵編，「清代糧價資料庫」，http://140.109.152.38/DBIntro.asp。

近來隨著「清代糧價資料庫」的完成，提供網路檢索服務，使研究者可省去耗時的蒐集工作。資料庫內容包含時間（以西元年的起迄年月來查詢）、地區（省別、府別皆以代碼來呈現）、糧別（每次僅能查詢一種糧食，並以代碼呈現）、價格（分別爲該糧食的最低價和最高價）。〔註 5〕

此外，還有 1930 年代湯象龍領導的研究小組，從戰前北京故宮博物院所藏原始奏摺中，整理道光元年（1821）到宣統三年（1911）間各省的月報糧價，抄錄成表格化的紙本資料，俗稱「抄檔」。此批檔案近年曾由王業鍵與典藏單位合作，建立成電子數據庫，北京社科院經濟所稱爲「清代糧價數據庫」，但因建檔格式問題，不僅未與「清代糧價資料庫」合併，也未公布可檢索的數據庫。這批檔案現藏於北京中國社會科學院經濟研究所，數量近 9000 頁，已出版成《清代道光至宣統間糧價表》，共 20 冊。〔註 6〕

貳、陝南地區米價數據的可靠性評估

本文從「清代糧價資料庫」中輯出陝西南部地區漢中、興安、商州三府

〔註 5〕「清代糧價資料庫」簡介，http://140.109.152.38/DBIntro.asp。

〔註 6〕轉引謝美娥，《清代臺灣米價研究》（臺北：稻鄉出版社，2008 年），頁 15～17。

州之糧價，〔註 7〕分別獲得清代漢中府 1738～1911 年稻米的低價和高價、興安府 1738～1911 年稻米的低價和高價、商州 1738～1911 年稻米的低價和高價，共六個米價數列，如圖 9 至圖 11。圖 9 至圖 11 中米價爲月價格，是以每個月有價格的月份來表示，從圖中斷缺空白的部分，可清楚看出 1738～1911 年這段期間每個月米價缺漏的情形。這六個米價數列的數據是否完全可用？乾隆初年雖已建立糧價陳報制度，但所陳報的價格數據的可靠程度，可能因地方官員的不同執行狀況，而存在著極大的差異。例如：岸本美緒曾提及，在研讀四川「糧價細冊」時發現，幾乎所有縣的每個月價格完全沒有變化，這樣的數據令人感到錯愕。〔註 8〕但這樣的情形也可能是眞實的，因爲每一筆糧價清單上的糧價，只記錄整個府當月中的最高和最低價格，並沒有把平均值呈現出來。換句話說，糧價清單中的每一筆糧食價格，代表整個府所屬各縣（州）所呈報該種糧食價格的最高和最低價，也就是整個府某種糧食價格的上限和下限。所以前後兩個月中，只要上限和下限沒有改變，其餘報價無論怎麼變動，如果不超過上、下限幅度，糧價資料中出現連續幾個月的紀錄值都沒改變的情況，就可能是正常的。但如果這種價格連續不變的月數持續夠長或頻率夠密時，原始資料的可靠性，就待進一步的檢驗。因此，從「清代糧價資料庫」取得的糧價數據史料，在使用前，還是應該利用科學的方法進行可靠性評估，篩選出可用的糧價，以便製成糧價「原始資料」（Raw Data）進行時間數列分析。因爲經過檢驗的糧價資料，才是有意義的數據，也才能從中獲得具體有用的經濟訊息。接下來爲考察這六個米價數列的遺漏值比例情形及可靠性評估。〔註 9〕

〔註 7〕 從「清代糧價資料庫」輯出陝西省南部地區漢中、商州、興安三府的糧價資料，糧別爲 RO。根據「清代糧價資料庫」的「糧別代碼表」可知，RO 包括大米、普通食米、粳米、稻米四種不同的糧食名稱，而在本文書寫中，則選擇以「稻米」爲使用之糧食名稱。

〔註 8〕 岸本美緒著，劉迪瑞譯，《清代中國的物價與經濟波動》（北京：社會科學文獻出版社，2010 年），頁 6。

〔註 9〕 王業鍵、陳仁義、溫麗平、歐昌豪，〈清代糧價資料之可靠性檢定〉，收入王業鍵，《清代經濟史論文集》，第 2 冊，頁 294～295。糧價史料根據評估結果，進而判斷、擷取可用的糧價斷限，是爲糧價「原始資料」（Raw Data）。謝美娥，《清代臺灣米價研究》，頁 18。

圖 9：清代陝西省漢中府米價（1738～1911）

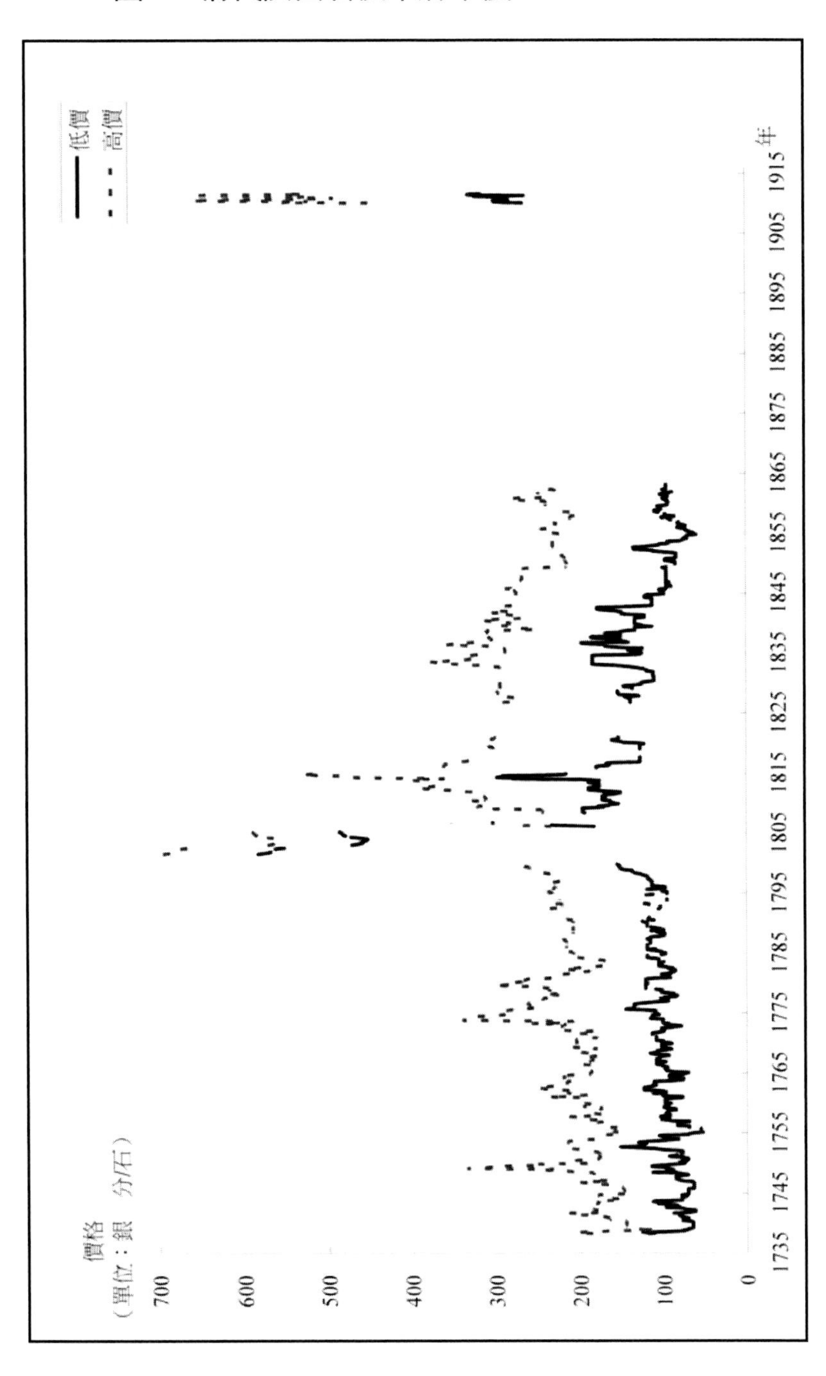

資料來源：王業鍵編，「清代糧價資料庫」。圖中米價爲月價格

圖 10：清代陝西省興安府米價（1738～1911）

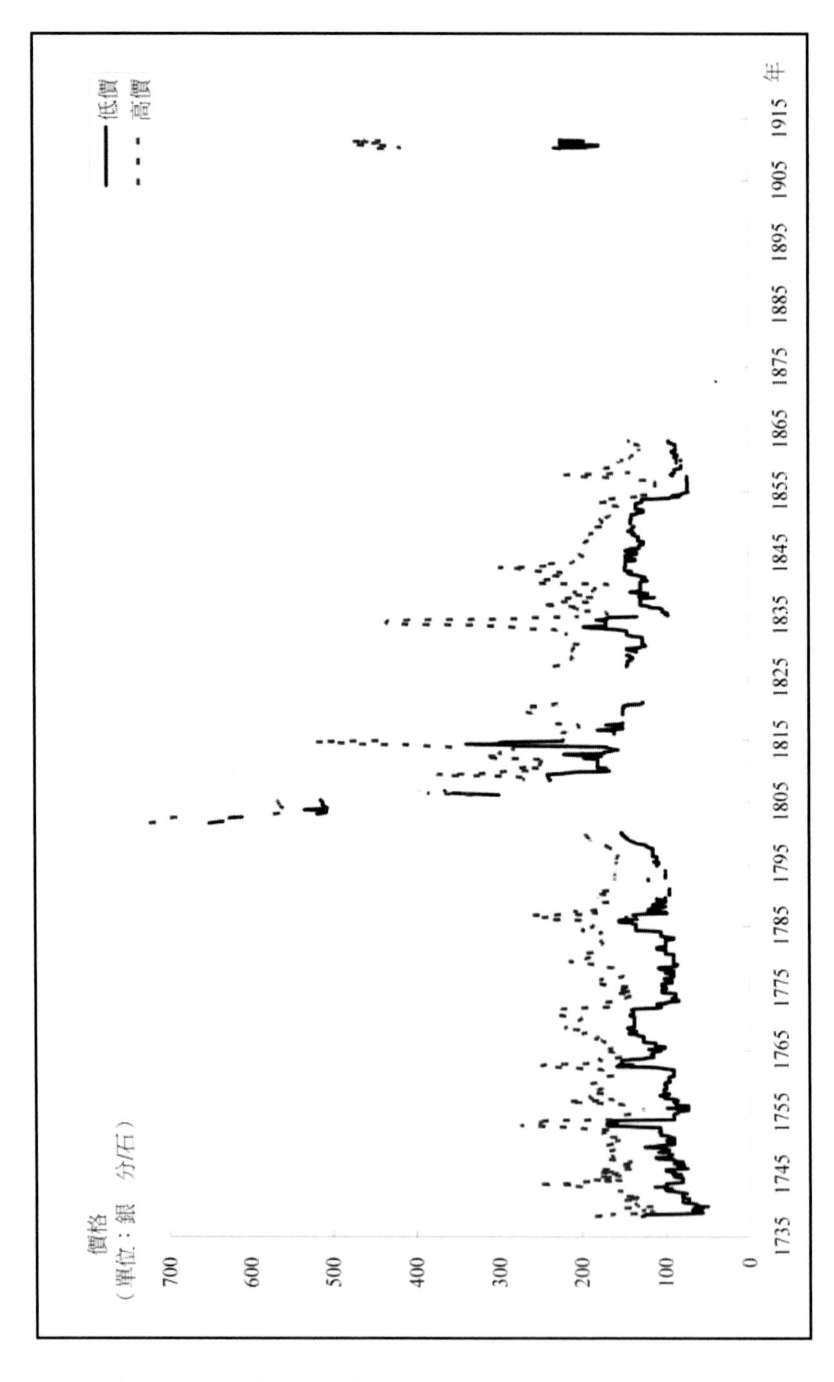

資料來源：王業鍵編，「清代糧價資料庫」。圖中米價爲月價格

圖 11：清代陝西省商州米價（1738～1911）

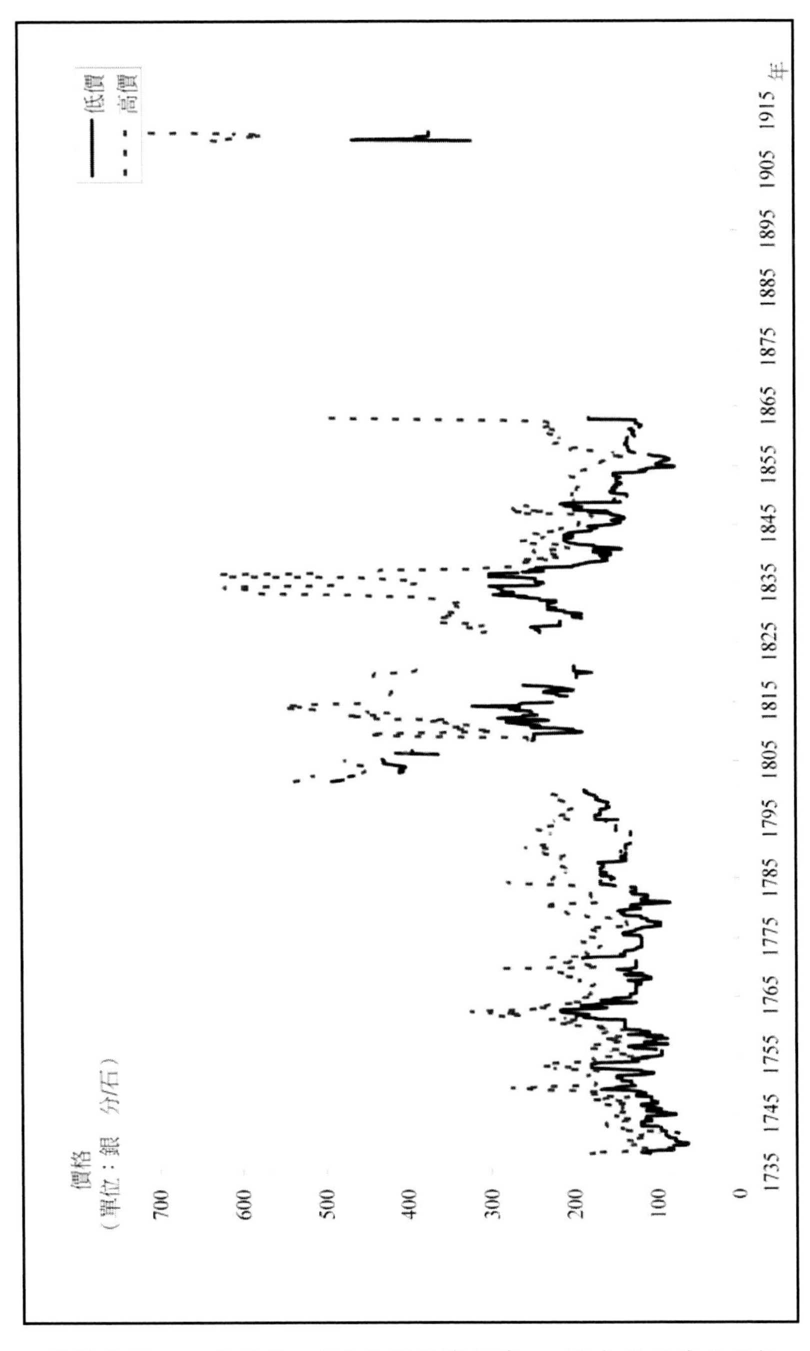

資料來源：王業鍵編，「清代糧價資料庫」。圖中米價爲月價格

首先是考察這六個米價數列的遺漏值比例（或稱遺漏率）。從圖 9 至圖 11 可知，目前現存清代陝南地區漢中、興安、商州三府州糧價清單的價格史料仍不完整，有些年份一整年的價格資料都是缺漏的，或者某年的價格月份紀錄不足十二個月，而缺乏價格資料者，即是遺漏值（Missing Value）。當某一糧價數列的遺漏值過多時，不僅表示此一糧價數列所提供的經濟訊息不太完整，也會影響到分析結果的可靠性和有效性，所以如果根據缺漏過多的糧價數列資料做爲分析經濟變動的表徵，其結果恐不足採信。〔註 10〕因此，我們必須先將目前獲得的糧價清單價格數列做遺漏值比例分析，來瞭解本文所擷取的糧價數列資料缺漏的情形爲何？此數列的遺漏比例是否在可接受的範圍內。遺漏值比例（或稱遺漏率）的計算式如下：

遺漏率（%）＝｛1－〔有價格月數／（有價格年數×12）〕｝×100〔註 11〕

陝南地區漢中、興安、商州三府州的糧價數列資料經過遺漏值比例考察的結果，如表 1。雖然進行分析的糧價數列資料的低價和高價缺值月份相同，可合併觀察，但爲能更清楚地呈現資料分析所得，因此，仍分別列出此三府州的低價和高價有價格月數比例以便觀察。如表 1 所示，經檢測求得漢中、興安、商州三府州的低價和高價有價格月數比例都接近八成六，而遺漏值比例也都在 14.3%左右。此數據與王業鍵等人對 1741～1790 年的江蘇、浙江、福建、廣東、安徽、江西、湖北、湖南等八省的米價（中米、晚米）和小麥進行遺漏比率分析的結果相較之下，發現江蘇、浙江、廣東、安徽、江西、湖北、湖南的遺漏比率雖然都在一成以下，遺漏率極低，然而福建省的遺漏率卻大多數在 7.7%～17.3%之間，所以，陝南地區漢中、興安、商州三府州的遺漏率雖爲 14.3%，卻尚屬可接受的範圍內。接下來，將已經過遺漏值分析的漢中、興安、商州三府州糧價數列進行可靠性檢測。〔註 12〕

〔註 10〕王業鍵、陳仁義、溫麗平、歐昌豪，〈清代糧價資料之可靠性檢定〉，收入王業鍵，《清代經濟史論文集》，第 2 冊，頁 294。

〔註 11〕謝美娥，《清代臺灣米價研究》，頁 81。

〔註 12〕王業鍵、陳仁義、溫麗平、歐昌豪，〈清代糧價資料之可靠性檢定〉，收入王業鍵，《清代經濟史論文集》，第 2 冊，頁 304～310。

表 1：清代陝南地區漢中、興安、商州三府州稻米價格遺漏比例（1738～1911）

區 域	漢中府（1738～1911）		興安府（1738～1911）		商 州（1738～1911）	
價格	低價	高價	低價	高價	低價	高價
有價格年數	124	124	124	124	124	124
有價格月數	1274	1274	1275	1275	1274	1274
有價格月數（%）	85.62	85.62	85.69	85.69	85.62	85.62
遺漏率（%）	14.38	14.38	14.31	14.31	14.38	14.38

糧價數列的可靠性評估，是以糧價紀錄值連續不變月數的比例做爲可靠性評估之參考指標值。〔註 13〕以「糧價連續不變」法則來檢驗糧價紀錄值是否可靠，基本上是假設負責陳報糧價的各級行政官員未必都能按旬循月認眞地蒐集市集糧價向上呈報。此外，也有可能發生負責上報官員人爲的疏失，或是怠忽職守敷衍成習等情形，而出現參考前一個月的價格加以變造後就呈報上去，導致最終糧價清單呈現的價格紀錄值長期不太變動。因此，在進行糧價的時間數列分析前，應小心避免使用到這一類性質的糧價數據。可靠性檢測的實際操作方法，將糧價紀錄值連續不變月數分成三種群組：1. 小於等於三個月，即紀錄值不變月數在三個月以下者，此群組包括三個月價格紀錄值連續不變、二個月價格紀錄值連續不變，以及與前後月價格紀錄值不同的單一一個月；2. 大於等於七個月（不含第 3 群組），即包含七到十二個月的價格紀錄值連續不變月數者皆屬之；3. 大於等於十三個月，即價格紀錄值不變月數在十三個月以上者，皆歸納爲此一群組；另外，也找出糧價紀錄值連續不變月數的最大值，即以紀錄值連續不變的最長月數，做爲輔助參考資料。〔註 14〕檢測結果的標準爲，第一群組的比例愈高愈佳；反之，第三群組的比例爲愈低愈理想。這樣的檢測設計方式，主要是考慮到假如在一年當中其糧價遺漏值月數有大於六個月的群數，或在未連續的兩筆糧價之間出現大

〔註 13〕王業鍵、陳仁義、溫麗平、歐昌豪，〈清代糧價資料之可靠性檢定〉，收入王業鍵，《清代經濟史論文集》，第 2 冊，頁 300～301。

〔註 14〕王業鍵、陳仁義、溫麗平、歐昌豪，〈清代糧價資料之可靠性檢定〉，收入王業鍵，《清代經濟史論文集》，第 2 冊，頁 300～301。

於十二個月以上的遺漏值月數的群數過多時，將使得所分析的時間數列資料在實際變動的訊息中有所遺失，繼而影響其結果。

表 2 至表 4 爲漢中、興安、商州三府州稻米價格紀錄值連續不變月數比例的檢定結果，再參考圖 9 至圖 11 的米價月價格，可發現本文所採用的 1738～1911 年糧價數列中，1821～1826、1863～1910 兩個時期有較多的糧價資料缺漏情形，因此，在進行糧價數列的可靠性評估前，需先篩選哪個時期的糧價數列較佳。

表 2：清代陝西省漢中府稻米價格連續不變月數比例（1738～1911）

項　目	分　期	低　價			高　價		
		米價連續不變月數	有價格月　數	百分比	米價連續不變月數	有價格月　數	百分比
小於等於3 個月	1738～1911	850	1274	**66.72**	647	1274	**50.78**
	1738～1795	447	627	**71.29**	355	627	**56.62**
	1796～1850	280	497	**56.34**	240	497	**48.29**
	1851～1911	123	150	**82.00**	52	150	**34.67**
大於等於7 個月	1738～1911	176	1274	**13.81**	258	1274	**20.25**
	1738～1795	88	627	**14.04**	142	627	**22.65**
	1796～1850	68	497	**13.68**	82	497	**16.50**
	1851～1911	20	150	**13.33**	34	150	**22.67**
大於等於13 個月	1738～1911	58	1274	**4.55**	144	1274	**11.30**
	1738～1795	0	627	**0**	0	627	**0**
	1796～1850	58	497	**11.67**	106	497	**21.33**
	1851～1911	0	150	**0**	38	150	**25.33**
糧價連續不變月數最大值	1738～1911	25			39		
	1738～1795	0			0		
	1796～1850	25			39		

表3：清代陝西省興安府稻米價格連續不變月數比例（1738～1911）

項目	分期	低價			高價		
		米價連續不變月數	有價格月數	百分比	米價連續不變月數	有價格月數	百分比
小於等於3個月	1738～1911	668	1275	**52.39**	806	1275	**63.22**
	1738～1795	323	628	**51.43**	434	628	**69.11**
	1796～1850	273	497	**54.93**	295	497	**59.36**
	1851～1911	72	150	**48.00**	77	150	**51.33**
大於等於7個月	1738～1911	238	1275	**18.67**	163	1275	**12.78**
	1738～1795	127	628	**20.22**	63	628	**10.03**
	1796～1850	92	497	**18.51**	100	497	**20.12**
	1851～1911	19	150	**12.67**	0	150	**0**
大於等於13個月	1738～1911	103	1275	**8.08**	87	1275	**6.82**
	1738～1795	32	628	**5.10**	13	628	**2.07**
	1796～1850	50	497	**10.06**	33	497	**6.64**
	1851～1911	21	150	**14.00**	41	150	**27.33**
糧價連續不變月數最大值	1738～1911	19			25		
	1738～1795	19			13		
	1796～1850	17			25		
	1851～1911	13			25		

表4：清代陝西省商州稻米價格連續不變月數比例（1738～1911）

項目	分期	低價			高價		
		米價連續不變月數	有價格月數	百分比	米價連續不變月數	有價格月數	百分比
小於等於3個月	1738～1911	784	1274	**61.54**	837	1274	**65.70**
	1738～1795	374	626	**59.74**	426	626	**68.05**
	1796～1850	319	498	**64.06**	309	498	**62.05**
	1851～1911	91	150	**60.67**	102	150	**68.00**
大於等於7個月	1738～1911	189	1274	**14.84**	193	1274	**15.15**
	1738～1795	68	626	**10.86**	91	626	**14.54**
	1796～1850	96	498	**19.28**	75	498	**15.06**
	1851～1911	25	150	**16.67**	27	150	**18.00**

大於等於13個月	1738～1911	73	1274	**5.73**	28	1274	**2.20**
	1738～1795	73	626	**11.66**	13	626	**2.08**
	1796～1850	0	498		15	498	**3.01**
	1851～1911	0	150	**0**	0	150	**0**
糧價連續不變月數最大值	1738～1911	20			15		
	1738～1795	20			13		
	1796～1850	0			15		
	1851～1911	0			0		

首先大致將1738～1911年漢中、興安、商州三府州的糧價數列分爲乾隆朝（1738～1795）、嘉道朝（1796～1850）與咸同光宣朝（1850～1911）三個時期。〔註15〕據表5可發現漢中、興安、商州三府州在乾隆朝的糧價數列較嘉道朝與咸同光宣朝這兩個時期較爲完整，乾隆朝遺漏率約10%，嘉道朝遺漏率約23%，咸同光宣朝遺漏率約80%。是故，本文擬採用十八世紀乾隆朝的米價資料。

表5：清代陝南地區漢中、興安、商州三府州稻米價格分期之遺漏比例（1738～1911）

區域	分期	低價				高價			
		有價格年數	有價格月數	有價格月數（%）	遺漏率（%）	有價格年數	有價格月數	有價格月數（%）	遺漏率（%）
漢中府（1738～1911）	1738～1911	124	1274	85.62%	**14.38%**	124	1274	85.62%	**14.38%**
	1738～1795	58	627	90.10%	**9.91%**	58	627	90.10%	**9.91%**
	1796～1850	47	509	77.12%	**22.88%**	47	509	77.12%	**22.88%**
	1851～1911	15	150	20.49%	**79.51%**	15	150	20.49%	**79.51%**
興安府（1738～1911）	1738～1911	124	1275	85.69%	**14.31%**	124	1275	85.69%	**14.31%**
	1738～1795	58	628	90.23%	**9.77%**	58	628	90.23%	**9.77%**
	1796～1850	47	509	77.12%	**22.88%**	47	509	77.12%	**22.88%**
	1851～1911	15	150	20.49%	**79.51%**	15	150	20.49%	**79.51%**

〔註15〕參考謝美娥以清代臺灣行政區域的調整，作爲糧價數據年段分期的依據，而將清代陝南地區漢中、興安、商州三府州的糧價數列，以清代糧價陳報制度官方執行的重視程度與成效，來作爲分期的依據。謝美娥，《清代臺灣米價研究》，頁73。

商　州（1738～1911）	1738～1911	124	1274	85.62%	**14.38%**	124	1274	85.62%	**14.38%**
	1738～1795	58	626	89.94%	**10.06%**	58	626	89.94%	**10.06%**
	1796～1850	47	510	77.27%	**22.73%**	47	510	77.27%	**22.73%**
	1851～1911	15	150	20.49%	**79.51%**	15	150	20.49%	**79.51%**

其次，從表 2 至表 4 的糧價紀錄値連續不變月數小於等於三個月的這個群組來比較，漢中府米價的低價百分比爲 71.29%，而高價僅有 56.62%；興安府米價的低價百分比爲 51.43%，高價卻高達有 69.11%；商州米價的低價百分比爲 59.74%，高價則有 68.05%。以上述的百分比數據比較，發現雖然漢中府的低價百分比較高價來得高，但其他兩府州的米價皆以高價百分比較低價來得高。因此暫可推知，高價的可靠性相對比低價來得高。但爲進一步確認資料的可靠性，再參考這三府州糧價紀錄値連續不變月數大於等於 13 個月的群組。漢中府米價的低價百分比爲 0%，高價也是 0%；興安府米價的低價百分比爲 5.10%，高價爲 2.07%；商州米價的低價百分比則有 11.66%，高價爲 2.08%。從這幾個百分比數據來看，這三府州的高價百分比都比其低價百分比要來得低，再度顯示高價的可靠度相對較高，與上文比較糧價紀錄値連續不變月數小於等於三個月群組的結果相應對。

歸納上述可靠性檢定結果，可發現這批清代陝南地區漢中、興安、商州三府州糧價史料的糧價數據：

1. 高價數列的數據可靠性相對地比低價數列所顯示的數據較佳。（但並不表示低價數列不可靠）
2. 以朝代分期而言，乾隆時期的糧價數據相對地比其他兩個時期要來得完整、可靠，亦表示十八世紀的糧價數據優於十九世紀至二十世紀初。

根據上文評估，在三府州米價的低價數列中，以大於等於十三個這項群組的檢測顯示，漢中府數列最佳，興安府、商州的檢測狀況則較不理想；在小於等於三個月群組的檢測結果中，同樣也是漢中府最佳，商州其次，而興安府較差。三府米價的高價數列中，以大於等於十三個月群組的這項檢測結果最佳；在小於等於三個月群組的檢測顯示，以興安府、商州較好，漢中府則否。因此陝南地區的漢中、興安、商州三府州米價的低價和高價數列而言，大致上以高價數列檢驗結果較佳。是故，選取高價數列做爲清代陝南地區漢中、興安、商州三府州糧價統計分析的糧價「原始資料」（Raw Data）。

第二節　陝南地區米價數據的遺漏值處理

接下來著手進行糧價史料的內部研究——糧價的時間數列分析，據以分析的糧價「原始資料」（Raw Data）是經過筆者可靠性評估之後篩選出的最佳糧價數列稻米高價之價格數列。〔註 16〕

即使此一稻米高價數列可靠性相對地高，但仍有某一小段落的資料斷裂缺漏，因此需先處理遺漏值的問題。〔註 17〕此外，前文也已經由分析後篩選出下一個要進行遺漏值插補的時間分期。經評估後顯示，乾隆時期的糧價數據相對地比其他兩個時期要來得完整、可靠，亦表示 1738～1795 年的糧價數據優於 1796～1911 年的糧價數據。因此，以下取漢中、興安、商州三府州自 1738～1795 年的稻米高價之價格數列進行遺漏值補值。漢中府的稻米高價之價格數列如圖 9 所示，1739 年 4 月之後，資料缺漏了三個月，又 1740、1741、1751 各年段的資料也都各缺漏一個月，另 1755 年也缺漏三個月的糧價數據，1761、1769 各年段的資料亦分別缺漏一個月；1771、1779、1783～1786、1788～1790 各年段的資料也並不完整，有或長五個月或短一個月的缺漏；尤其在十八世紀末，即 1791～1794 各年段的糧價遺漏月的月數則出現大於等於六個月的缺口，分別爲十一個月、六個月、六個月、九個月；而 1795 年則缺漏二個月的糧價資料。

興安府的稻米高價之價格數列如圖 10 所示，1739 年 4 月之後，資料缺漏三個月分的糧價數據，又 1740、1742、1751 各年段的資料也都各缺漏一個月，另 1755 年也缺漏三個月的糧價數據，1761、1769 各年段的資料亦分別缺漏一個月，1771 年則缺漏的四個月的糧價數據；而 1783～1786、1788～1795 各年段的資料也並不整齊，有或長十一個月或短一個月的缺漏；其中的 1791 與 1794 各年段的糧價遺漏月的月數出現大於六個月的缺口，分別

〔註 16〕糧價史料屬於定量史料的一種，有別於定性史料的研究方法。定性史料的摘閱及判斷，與一般歷史研究常使用的歸納法相同，而糧價史料的處理則是運用統計分析，例如：時間數列分析和相關分析，係指糧價的變動分析、兩種數列之間是否具相關性的統計方法。而糧價史料的研究方法可分爲外部研究和內部研究來處理。外部研究，主要是處理清人如何獲得糧價訊息，進而建立糧價清單；內部研究則是，針對糧價數據本身，進行可靠性評估和分析此一糧價數列的各種變動。謝美娥，《清代臺灣米價研究》，頁 36、37、38、39。

〔註 17〕關於遺漏值的處理，計量經濟史中常用的方法，爲運用回歸估計。這種方法需先從完整紀錄值的資料中獲得回歸方程式，再以此方程式估出所缺的值。謝美娥，《清代臺灣米價研究》，頁 94，註 72。

是十一個月與九個月。

商州的稻米高價之價格數列如圖 11 所示，1739 年 4 月之後，資料缺漏 5、6、7 月三個月分的糧價數據，又 1740、1741 各年段的資料各缺漏一個月，1742 年則缺漏二個月；另 1751 年又缺漏一個月，1755 年則缺漏三個月的糧價數據，1761、1769 各年段的資料亦分別缺漏一個月；1771、1783～1786、1788～1795 各年段的資料也並不完整，有或長十一個月或短一個月的缺漏；尤其是 1791 與 1794 各年段的糧價遺漏月的月數出現大於六個月的缺口，分別爲十一個月與九個月。

綜合上述，將漢中、興安、商州三府州在 1738～1795 年間，稻米高價之價格數列遺漏月的月數整理於表 6。

對於遺漏值的補值，筆者分爲兩個階段處理。〔註 18〕首先，運用內插與外推（Interpolation and Extrapolation）法，先對部分遺漏月數進行插補，但可插補的月分只限於一年中遺漏月的月數小於等於六個月者。〔註 19〕圖 12、圖 13、圖 14 分別以原來糧價插補前（實線部分）與插補後（虛線部分）的數列兩相對照，可發現，圖 12、圖 13、圖 14 都除了 1791 與 1794 這兩個年段仍有斷缺外，原來數列中零星的資料斷缺，經過插補後，曲線呈現已接近完整。

表 6：清代陝南地區漢中、興安、商州三府州稻米高價之價格數列遺漏月的月數（1738～1795）

地 區	月份／年	1	2	3	4	5	6	7	8	9	10	11	12
漢中府	1739					v	v	v					
	1740										v		
	1741								v				
	1751						v						
	1755						v	v				v	

〔註 18〕關於遺漏值的補值方法，會因爲一年中遺漏月的月數不同，而有不同的處理方式。可分爲一年中遺漏月的月數小於等於六個月者與遺漏月的月數大於六個月者，兩個部分來進行。遺漏月的月數若小於等於六個月者，一般以內插與外推法來補值；遺漏月的月數若大於六個月者，則因缺漏的價格紀錄值訊息太長，所以需用糧價資料最完整可靠的某年段的季節指數，計算出估計值，將之補值。謝美娥，《清代臺灣米價研究》，頁 94、95，註 74。

〔註 19〕謝美娥，《清代臺灣米價研究》，頁 94，註 73。

漢中府	1761							v					
	1769									v			
	1771		v	v	v	v							
	1779	v											
	1783								v	v			
	1784									v			
	1785										v		
	1786			v	v			v	v				
	1788								v				
	1789						v				v	v	v
	1790					v	v						
	1791	v	v	v	v	v	v	v	v	v	v		v
	1792	v		v	v				v	v			v
	1793	v					v	v	v	v	v		
	1794	v	v	v	v	v	v	v	v			v	
	1795						v	v					
興安府	1739					v	v	v					
	1740										v		
	1742											v	
	1751						v						
	1755						v	v				v	
	1761							v					
	1769									v			
	1771		v	v	v	v							
	1779	v											
	1783								v	v			
	1784									v			
	1785										v		
	1786			v	v			v	v				
	1788								v				
	1789						v				v	v	v
	1790					v	v						
	1791	v	v	v	v	v	v	v	v	v	v		v
	1792	v		v	v				v	v			v
	1793	v					v	v	v	v	v		
	1794	v	v	v	v	v	v	v	v			v	
	1795						v	v					

商州	1739					v	v	v					
	1740										v		
	1741									v			
	1742	v										v	
	1751						v						
	1755						v	v				v	
	1761							v					
	1769									v			
	1771		v	v	v	v							
	1779	v											
	1783								v	v			
	1784									v			
	1785										v		
	1786			v	v			v	v				
	1788								v				
	1789						v				v	v	v
	1790					v	v						
	1791	v	v	v	v	v	v	v	v	v	v		v
	1792	v		v	v				v	v			v
	1793	v					v	v	v	v	v		
	1794	v	v	v	v	v	v	v	v			v	
	1795						v	v					

其次，是運用季節指數調整法，將一年中遺漏月月數大於六個月者（不含六個月）予以調整。〔註 20〕圖 15 即是筆者以漢中府的稻米高價之價格數列，取 1742～1750 年的季節指數，計算出遺漏月的糧價估計值，填補一年中遺漏月數大於六個月者。選擇 1742～1750 年的原因主要是這個年段每個月都有值，且這一時段的小於等於三個月群組比例（70.37%）較佳。經過調整的是 1791 與 1794 這兩個年分。同理運用於圖 16 與圖 17。圖 16 則是以興安府的稻米高價之價格數列，取 1743～1753 年的季節指數，計算出遺漏月的糧價估計值來填補。選擇 1743～1753 年的原因亦是這個年段每個月都有值，且這一時段的小於等於三個月群組比例（81.82%）較高。經過調整的同樣是 1791 與 1794 這兩個年分。圖 17 則是以商州的稻米高價之價格數列，取 1756～1765 年的季節指數，計算出遺漏月的糧價估計值來填補。選

〔註 20〕謝美娥，《清代臺灣米價研究》，頁 95，註 74。

擇 1756～1765 年的原因也是這個年段每個月都有值，且這一時段的小於等於三個月群組比例（78.33%）較好。經過調整的也是 1791 與 1794 這兩個年分。陝南地區漢中、興安、商州三府州稻米價格數列的遺漏部分經過季節指數調整補值後，如圖 15 至圖 17。

圖 12：清代陝西省漢中府米價遺漏值插補前後對照
——稻米高價（1738～1795）

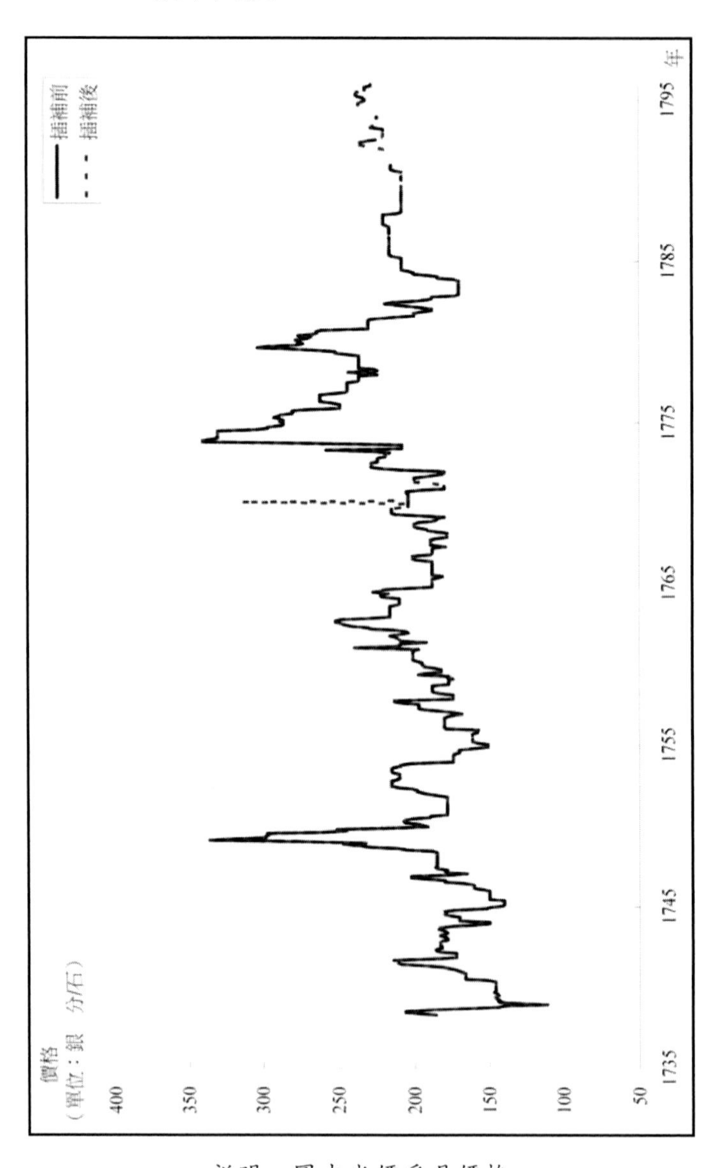

說明：圖中米價為月價格

圖 13：清代陝西省興安府米價遺漏值插補前後對照
——稻米高價（1738～1795）

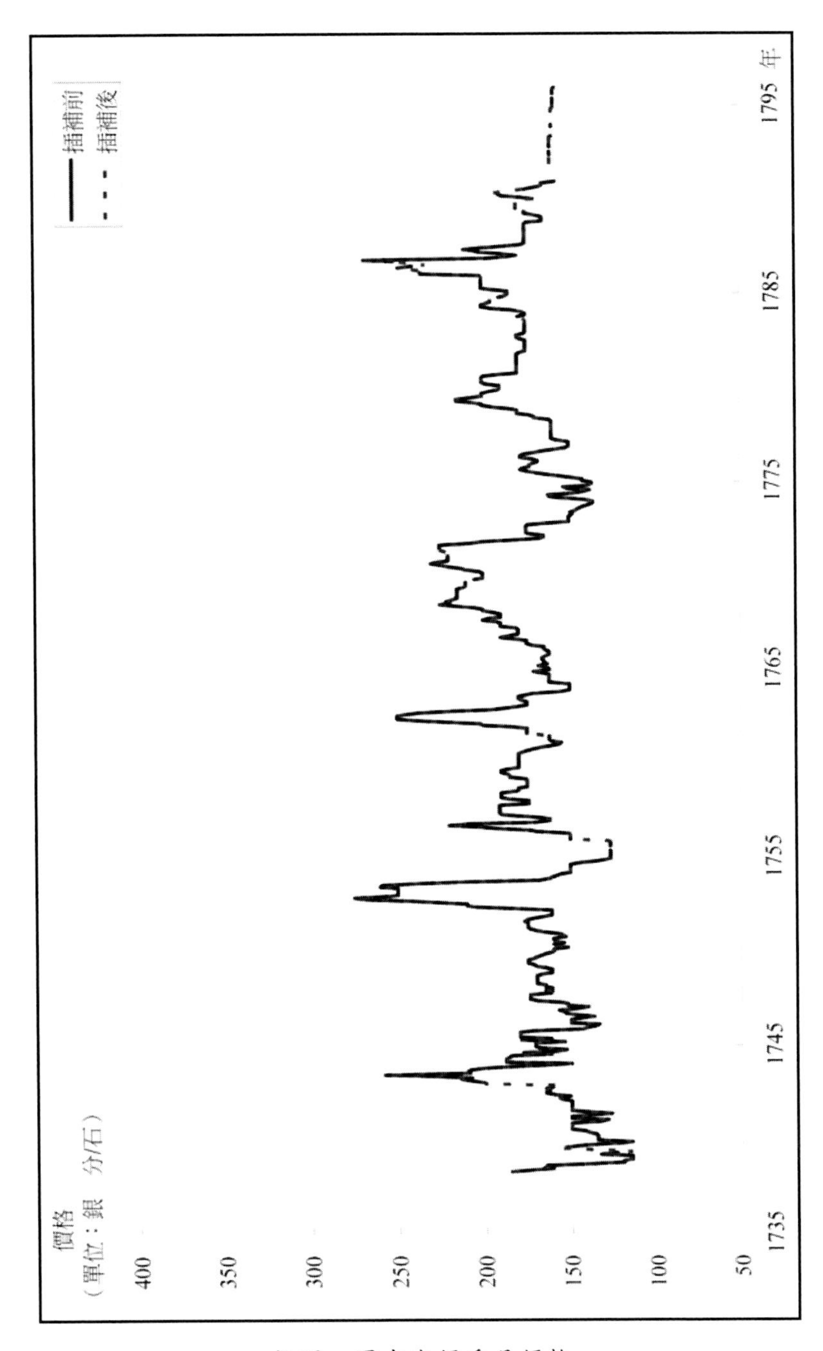

說明：圖中米價爲月價格

圖 14：清代陝西省商州米價遺漏值插補前後對照——稻米高價（1738～1795）

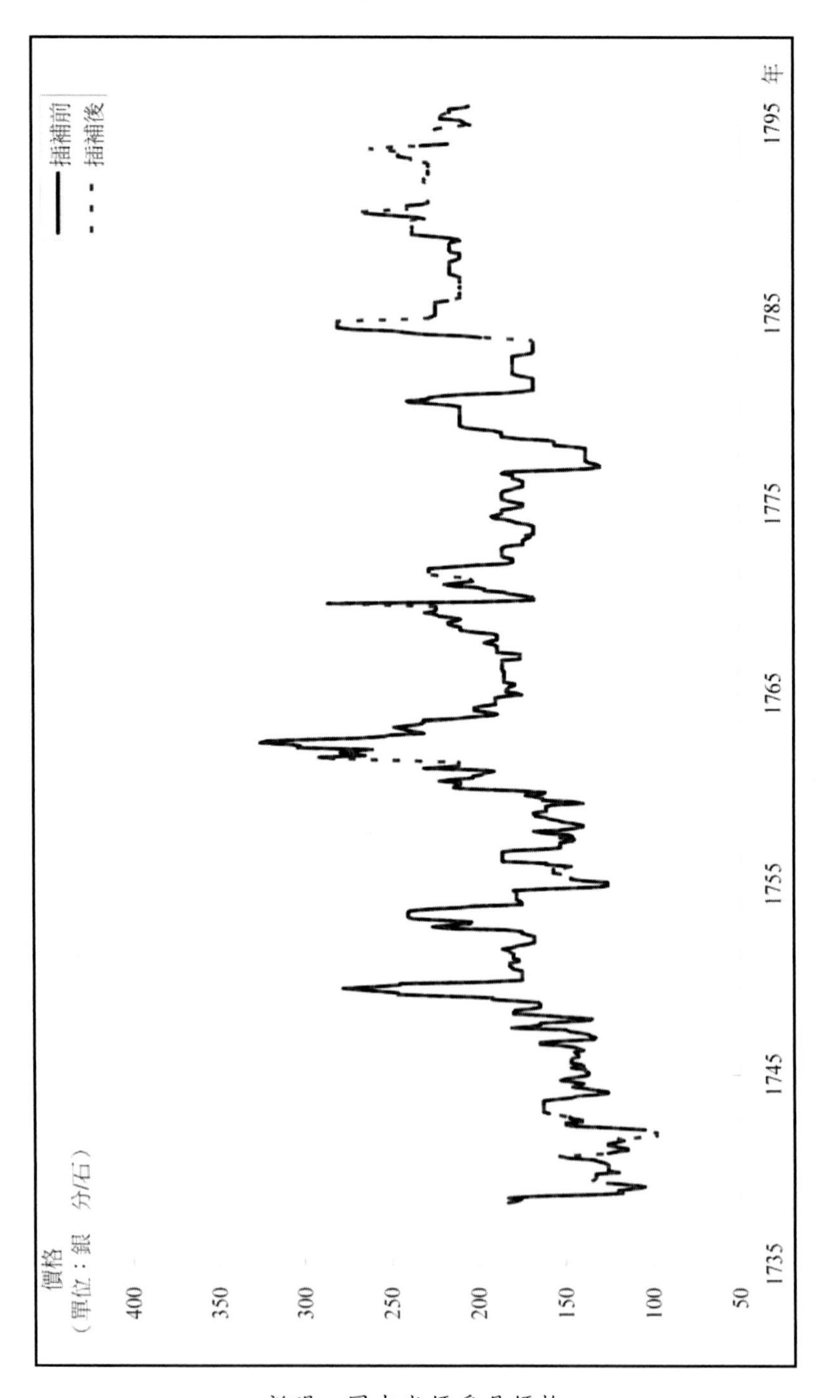

說明：圖中米價為月價格

圖 15：清代陝西省漢中府米價遺漏值調整前後對照
——稻米高價（1738～1795）

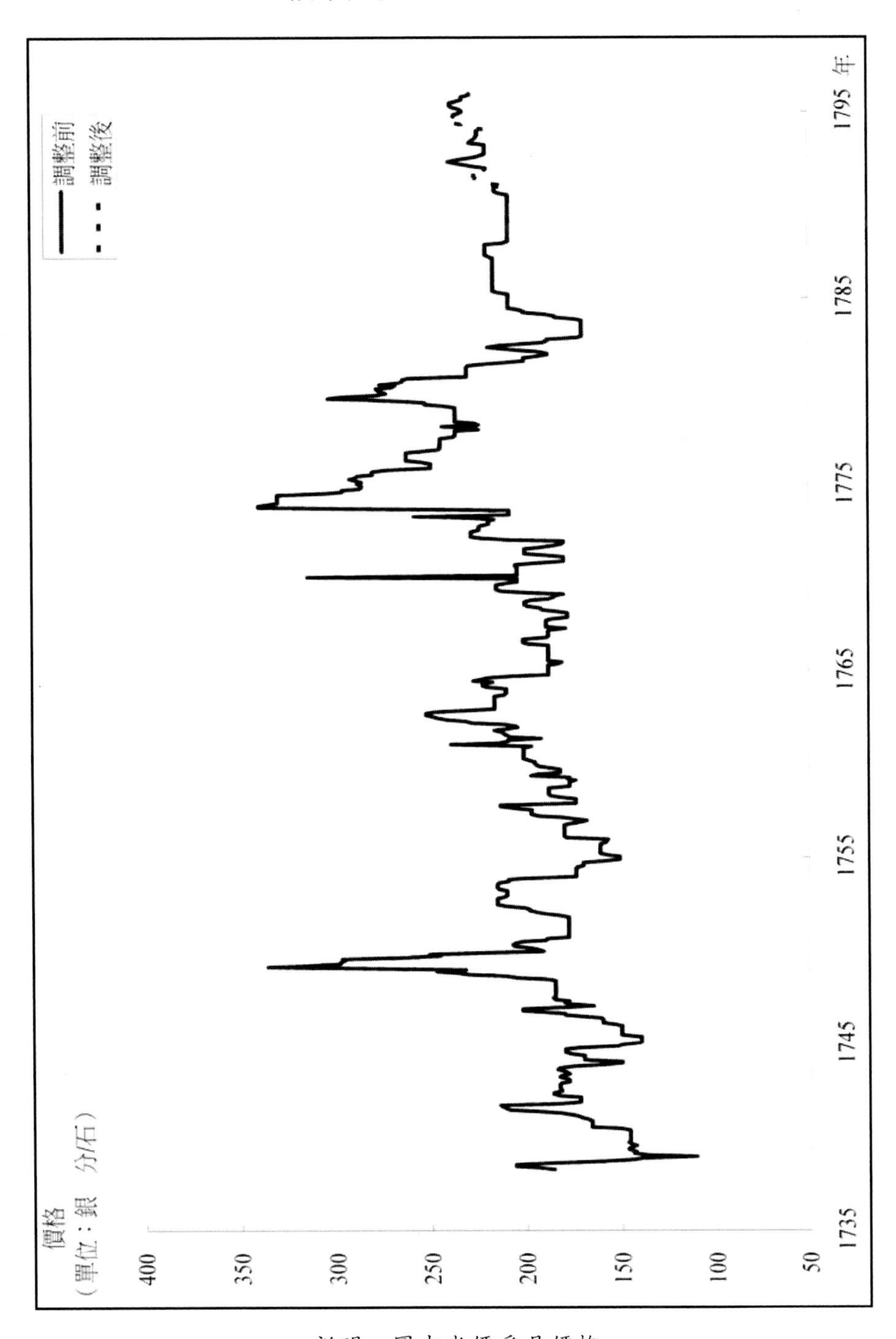

說明：圖中米價為月價格

圖 16：清代陝西省興安府米價遺漏值調整前後對照
——稻米高價（1738～1795）

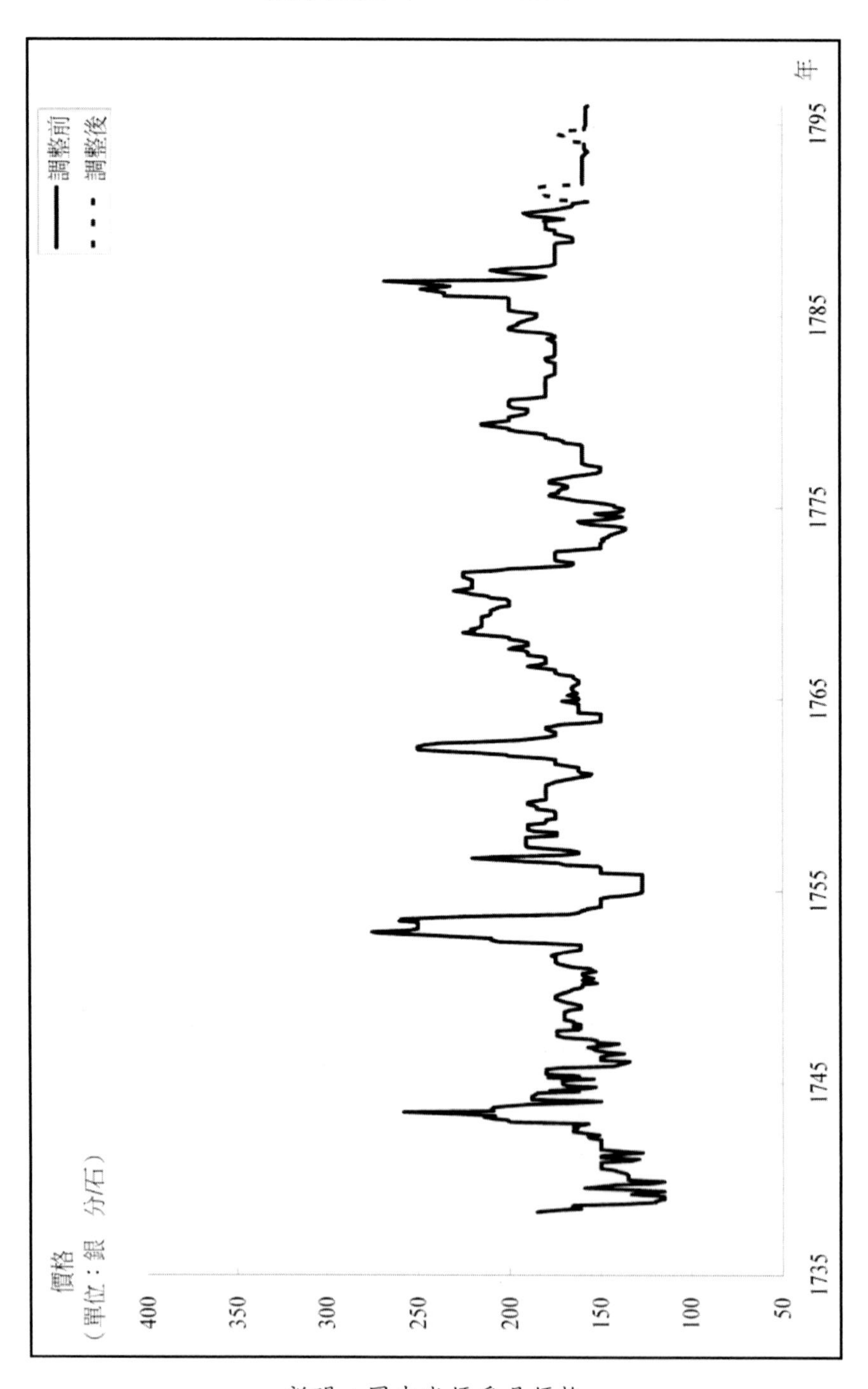

說明：圖中米價為月價格

圖 17：清代陝西省商州米價遺漏值調整前後對照
——稻米高價（1738～1795）

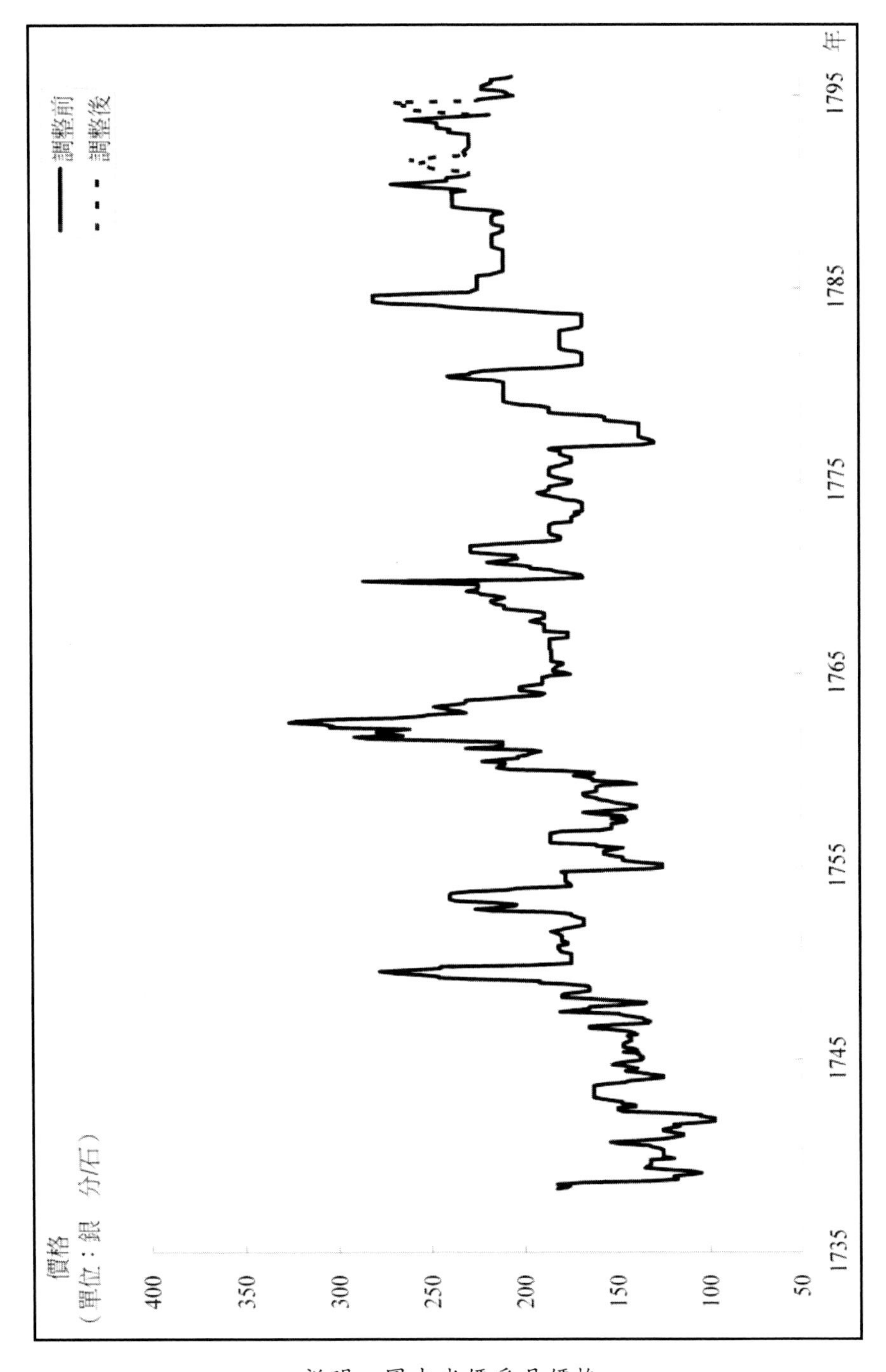

說明：圖中米價為月價格

第三章　陝南地區的糧食市場整合

本章所用的陝南地區漢中、興安、商州三府州米價「原始資料」（Raw Data）是筆者透過可靠性評估後篩選出的最佳糧價數列稻米高價之價格數列。此價格數列中價格有遺漏部分經過內插與外推法插補，以及季節指數調整補值後，如圖 15 至圖 17（第二章）所示，可大致觀察出漢中、興安、商州三府州價格的波動情形。此三府州在 1791 與 1794 年的糧價數列缺值年段波動起伏還算一致，皆呈現兩個上升的波動趨勢。且三府州都在 1783 年的前一段時期，大約自 1779～1783 年間，其價格趨勢由高峰轉而下降，與 1783 年後的上升趨勢有別，因此，由圖可推知 1783～1795 年之後應是另一個價格波動的開始。但爲了能更精確分析米價長期趨勢的變動情形，因此進一步利用計量方法對已補完缺值的高價年均米價數列，來進行米價長期趨勢與相關分析。〔註 1〕並以計量分析所得的結果，參考記述性史料加以佐證，說明陝南地區漢中、興安、商州三府州糧食市場的關聯程度。

第一節　漢中、興安、商州三府州米價的長期趨勢

漢中、興安、商州三府州從 1738～1795 年稻米高價之價格數列的遺漏部分經過補值後，筆者以高價的年均米價進行時間數列分析，透過最小平方法求米價的長期趨勢。表 7 是漢中、興安、商州三府州的年均米價及長期趨勢值，圖 18 至圖 20 分別爲此三府州的年均米價及趨勢線的圖示。

〔註 1〕以最小平方法求米價的長期趨勢。謝美娥，《清代臺灣米價研究》（臺北：稻鄉出版社，2008 年），頁 107，註 1。

表 7：清代陝南地區漢中、興安、商州三府州年均米價及長期趨勢值——稻米高價（1738～1795）

年	漢中府		興安府		商州	
	年均價	趨勢值	年均價	趨勢值	年均價	趨勢值
1738	171	176	149	167	153	150
1739	144	177	130	167	125	151
1740	157	178	142	167	132	152
1741	189	179	145	168	114	154
1742	181	180	164	168	139	155
1743	176	181	209	168	157	157
1744	168	182	173	168	140	158
1745	146	183	168	169	143	159
1746	175	184	147	169	147	161
1747	182	185	163	169	151	162
1748	206	186	167	170	171	164
1749	274	187	169	170	235	165
1750	192	188	157	170	178	166
1751	179	190	172	171	179	168
1752	208	191	213	171	187	169
1753	208	192	226	171	223	171
1754	168	193	146	171	168	172
1755	159	194	129	172	146	173
1756	178	195	175	172	176	175
1757	193	196	183	172	152	176
1758	182	197	182	173	156	178
1759	185	198	182	173	161	179
1760	199	199	176	173	207	180
1761	211	200	168	174	243	182
1762	234	201	224	174	284	183
1763	214	202	170	174	225	185
1764	211	203	160	174	192	186
1765	187	205	164	175	183	187

1766	192	206	176	175	184	189
1767	186	207	189	175	188	190
1768	191	208	212	176	206	192
1769	205	209	209	176	225	193
1770	199	210	215	176	193	194
1771	189	211	212	177	212	196
1772	223	212	168	177	183	197
1773	254	213	144	177	170	199
1774	311	214	147	177	183	200
1775	278	215	164	178	182	201
1776	255	216	166	178	170	203
1777	239	217	158	178	137	204
1778	234	218	173	179	174	206
1779	266	220	202	179	210	207
1780	260	221	192	179	215	208
1781	214	222	179	180	171	210
1782	195	223	176	180	179	211
1783	171	224	176	180	180	213
1784	203	225	191	180	258	214
1785	214	226	197	181	220	215
1786	216	227	234	181	210	217
1787	218	228	187	181	215	218
1788	208	229	173	182	213	220
1789	208	230	176	182	235	221
1790	211	231	175	182	242	222
1791	221	232	177	183	245	224
1792	227	233	160	183	229	225
1793	224	234	159	183	242	227
1794	234	236	165	183	243	228
1795	233	237	158	184	214	229

圖 18：清代陝西省漢中府年均米價及長期趨勢
——稻米高價（1738～1795）

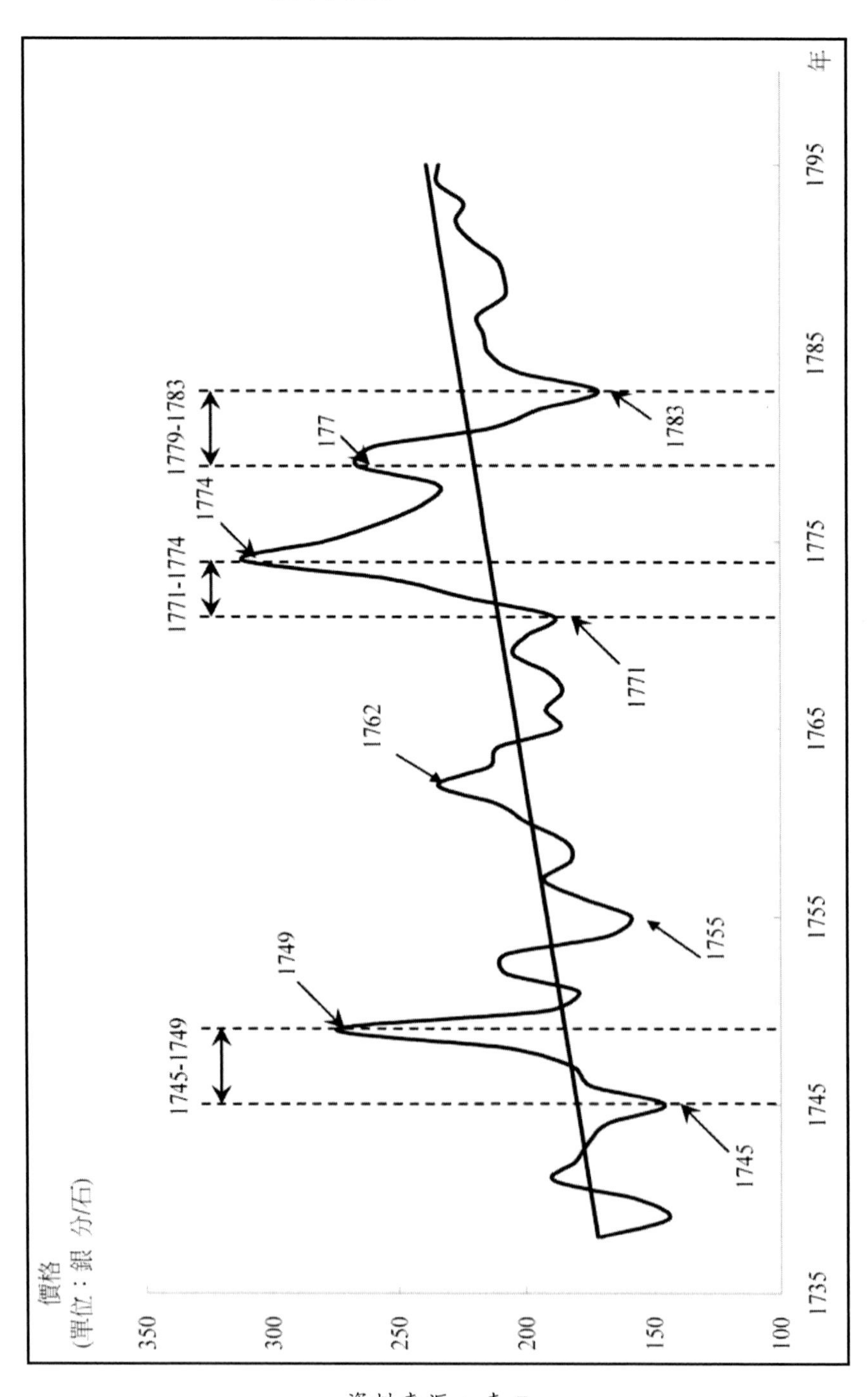

資料來源：表 7

圖 19：清代陝西省興安府年均米價及長期趨勢
——稻米高價（1738～1795）

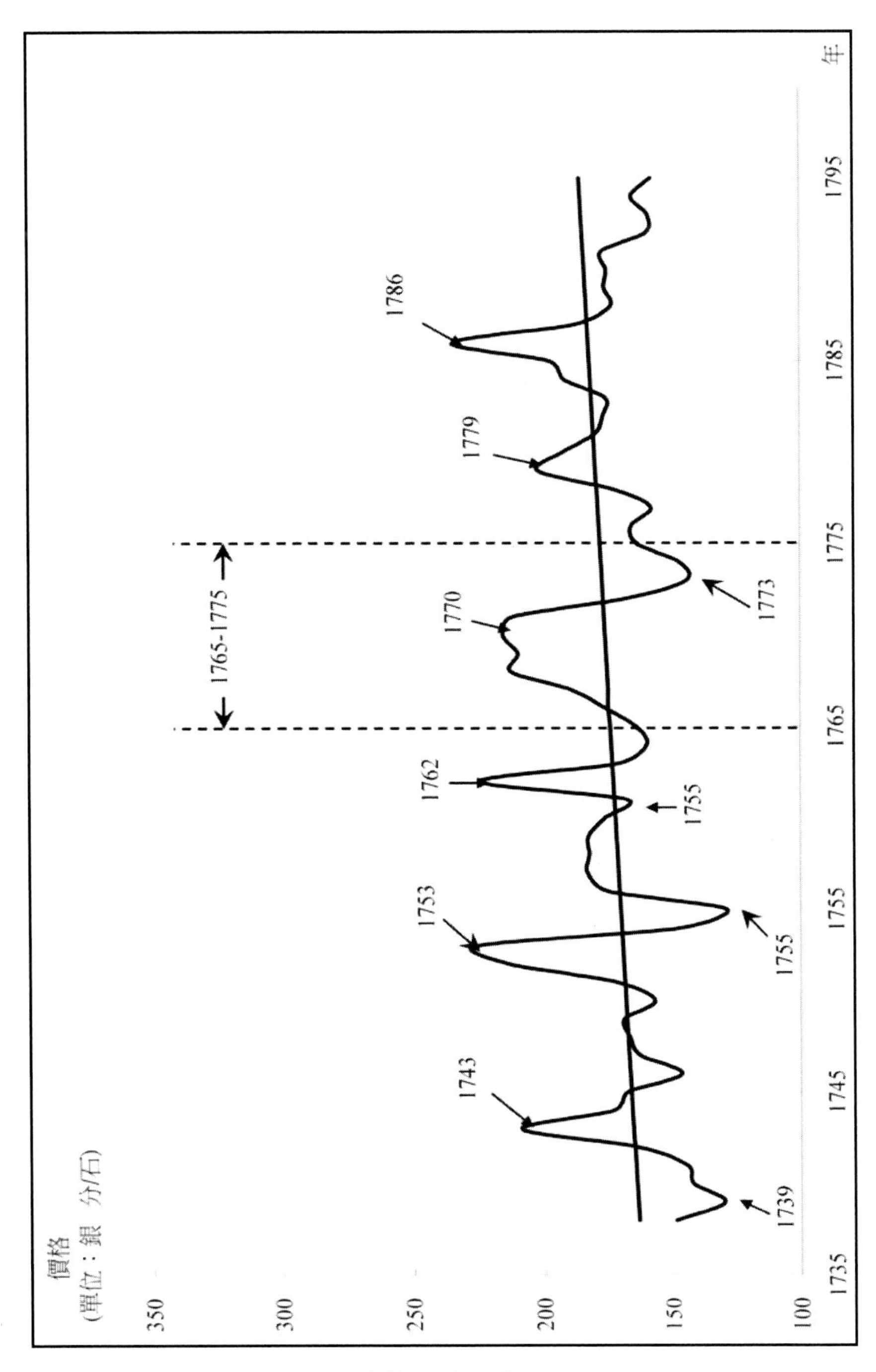

資料來源：表 7

圖 20：清代陝西省商州年均米價及長期趨勢
——稻米高價（1738～1795）

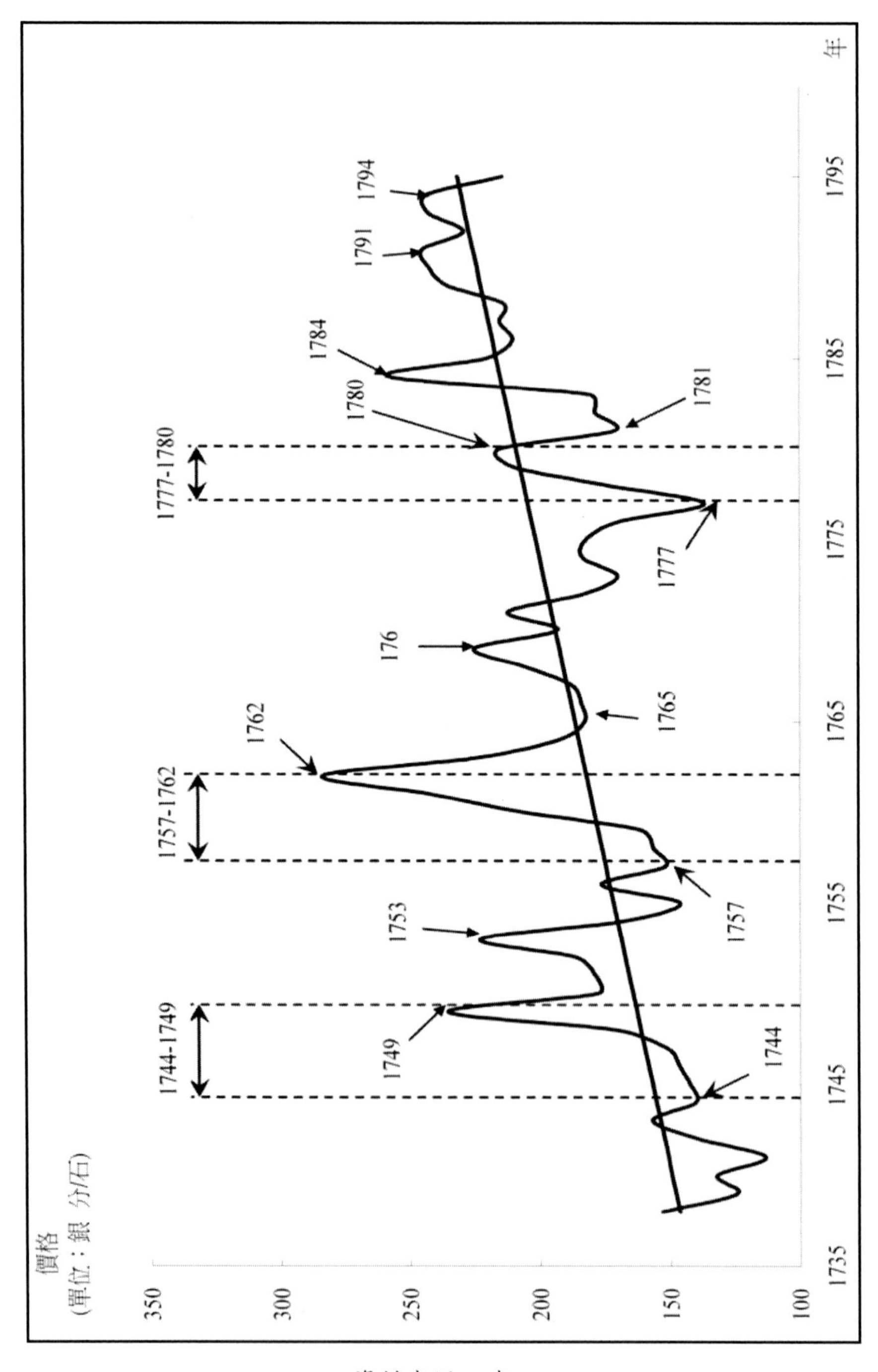

資料來源：表 7

圖 18 爲漢中府年平均米價和長期趨勢線的圖示，可看出漢中府自 1738～1795 年間的價格趨勢變動。如圖 18 所示，漢中府的價格在 1774 年之前大致呈現上升趨勢，其中以某些年段如：1745～1749 年、1771～1774 年，以及 1779～1783 年的上升之勢較陡外，其餘的年段大致也持續地穩定上升。而價格趨勢到了 1774 年後成陡然下降，直至 1783 年才又平緩上升。但大致上可觀察出，此五十八年間的價格水平爲平緩上升趨勢。圖 18 中的趨勢線可解釋爲：1738～1795 年間的平均米價爲庫平銀 2.0614 兩，每年平均以銀 0.0107 兩的速度成長，米價增長率是逐年累加，其價格成長可說是緩步上升。〔註 2〕

圖 19 爲興安府年平均米價和長期趨勢線的圖示，從圖可看出興安府自 1738～1795 年間的價格趨勢變動。由圖 19 來觀察可發現，興安的價格在這五十八年之間大致以每十年爲一波動週期，並呈現每年以更平緩接近水平的速度緩步上升，其中除 1765～1775 年的上升幅度最爲平緩外，其餘則的年段的上升陡勢較大。但就整體而言，其升降趨勢可分別以 1755 年與 1773 年，這兩個時間點做爲轉折點，在 1755 年與 1773 年前，價格走勢明顯從 1753 年和 1771 年快速下降，直到 1755 年和 1773 年才又逐年上升。圖 19 中的趨勢線可解讀爲：1738～1795 年間的平均米價爲庫平銀 1.7520 兩，每年平均以銀 0.0030 兩的速度成長，其米價增加的速度相較漢中、商州二府州來看，可說是以更緩慢的速度上升。〔註 3〕

圖 20 爲商州年平均米價和長期趨勢線的圖示，可看出商州自 1738～1795 年間的價格趨勢變動。從圖 20 來看可知，商州的價格在 1762 年之前大致呈現逐年向上的趨勢，其中以 1744～1749 年和 1757～1762 年，這兩個年段的上升趨勢較劇烈外，其餘則的年段大致上都緩步持續上升。而價格趨勢的轉折到了 1762 年後卻陡然下降，此波價格下降趨勢直到 1777 年才又明顯快速上升。但大致上可觀察出，此五十八年間的價格水平也是呈現逐步上升的趨勢。圖 20 中的趨勢線可解釋爲：1738～1795 年間的平均米價爲庫平銀 1.8956 兩，每年平均以銀 0.0140 兩的速度成長，米價增長率是逐年緩慢增加，其價格成長趨勢較漢中府來說，可說是以更慢的速度緩緩上升。〔註 4〕

〔註 2〕 趨勢線 $Y'_{1738\text{-}1795}=206.14+1.07t$，t 表時間（年）。

〔註 3〕 趨勢線 $Y'_{1738\text{-}1795}=175.20+0.30t$，t 表時間（年）。

〔註 4〕 趨勢線 $Y'_{1738\text{-}1795}=206.14+1.07t$，t 表時間（年）。

分別就漢中、興安、商州三府州米價數列的長期趨勢做個別分析後，爲了能進一步觀察這三府州米價的變動趨勢是否有時間上的相似，因此將這三府州的長期趨勢合併於一圖以便觀察。圖 21 是漢中、興安、商州三府州米價數列的長期趨勢圖示，可發現此三府州的價格大致都是呈現上升的趨勢，但其波動趨勢未完全一致。另外，依圖 21 可看出，漢中、興安、商州三府州米價的波動趨勢約在 1738～1755 年間可視爲一個波動階段，其價格趨勢在此一分期的後半段，都是由高峰轉而快速下降。不過自 1756～1771 或 1773 年間，三府州的價格趨勢，一開始都是向上攀升，且在 1762 年時價格達到最高峰之後又逐年下降，因此，可將此一時期視爲另一波動階段。而在 1771 或 1773～1795 年間，三府州的價格在此一時期的前半段，又呈現向上攀高的上升趨勢，與前一段趨勢不同，可推知應是另一個波動階段的產生。不過，以第三期而言，三府州之間的米價變動差異，甚於前兩個時期，其異步變化的情形清晰可見。例如：在 1771～1775 年間，漢中府的米價變動趨勢明顯和興安、商州二府州相反，而在最後的 1787～1795 年間，商州的米價變動趨勢則與漢中、興安二府呈反向發展。

圖 21：清代陝南地區漢中、興安、商州三府州年均米價及長期趨勢值——稻米高價（1738～1795）

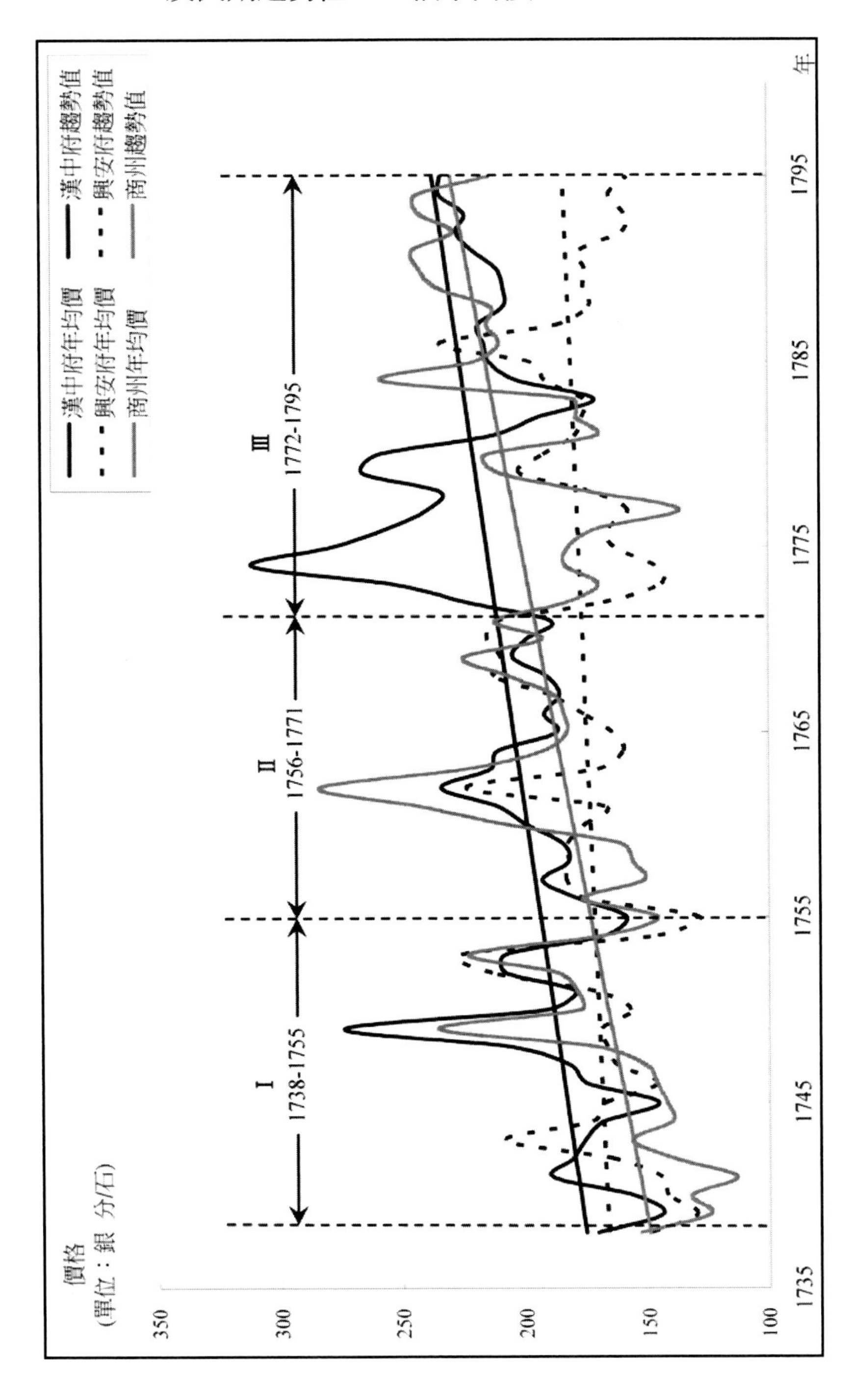

以上是依照圖 21 米價變動趨勢的升降，將三府州大致分爲 1738～1755 年、1756～1771 或 1773 年，與 1771 或 1773～1795 年三個時期。再透過五年移動平均（表 8、圖 22）與十年移動平均（表 9、圖 23）來觀察，則可更清楚看出此三府州米價趨勢的升降變化情形。由圖 22、圖 23 的觀察，可發現在 1760 年代晚期至 1770 年代初期以前，三府州的米價都呈上升趨勢，格水平高低大約在相同的時間點前後有的先上後下，且米價變動趨勢呈現亦步亦趨，但 1760 年代晚期以後，則三府州的升降變化兩兩互異。1760 年代晚期至 1780 年代初期，漢中府與興安、商州二府州呈背向發展。1780 年代初期以後，興安府與漢中、商州二府州反向變動。因此，歸納上述觀察結果來推論，漢中、興安、商州三府州的糧價變動趨勢可能在 1760 年代晚期以前，或在第一、二期較整合。

第二節　漢中、興安、商州三府州米價長期趨勢的檢驗

上述所分析出的漢中、興安、商州三府州米價長期趨勢數列是否可信？如何確認其可信程度高低？筆者則透過觀察重大的自然災害發生年份，或之後的幾年間是否出現米價異常波動，以此檢視兩者間的關聯程度。前文曾提及，筆者根據米價變動的趨勢（圖 21），分爲三個時期，第一期爲 1738～1755 年（乾隆 3 年～20 年），第二期爲 1756～1771 或 1773 年（乾隆 21 年～36 年或 38 年），第三期爲 1771 或 1773～1795 年（乾隆 36 年或 38 年～60 年）。

第一期：1738～1755 年（乾隆 3 年～20 年）。此時期有三個完整的價格峰谷波動。第一個價格峰谷波動在 1738～1744、1746 年（乾隆 3 年～9、11 年）之間，興安府和商州米價的最高點皆落在 1743 年（乾隆 8 年），其中興安府年均米價攀升至銀 209 分，商州年均米價在 1742 年（乾隆 7 年）的銀 139 分至 1743 年（乾隆 8 年）時，上升爲銀 157 分。據《雒南縣志》（隸屬商州）記載：

表 8：清代陝南地區漢中、興安、商州三府州米價五年移動平均（1738～1795）

年	漢中府	興安府	商州
1740	168	146	133
1741	169	158	133
1742	174	167	137
1743	172	172	139
1744	169	172	145
1745	169	172	148
1746	175	163	150
1747	197	163	169
1748	206	160	176
1749	207	165	183
1750	212	176	190
1751	212	187	200
1752	191	183	187
1753	184	177	181
1754	184	178	180
1755	181	172	173
1756	176	163	160
1757	179	170	158
1758	188	180	171
1759	194	178	184
1760	202	186	210
1761	209	184	224
1762	214	180	230
1763	211	177	225
1764	208	179	214
1765	198	172	194
1766	193	180	191
1767	192	190	197

1768	195	200	199
1769	194	208	205
1770	201	203	204
1771	214	190	197
1772	235	177	188
1773	251	167	186
1774	264	158	178
1775	268	156	168
1776	264	161	169
1777	255	172	174
1778	251	178	181
1779	242	181	181
1780	233	184	190
1781	221	185	191
1782	208	183	201
1783	199	184	202
1784	200	195	209
1785	204	197	217
1786	212	197	223
1787	213	193	219
1788	212	189	223
1789	213	178	230
1790	215	172	233
1791	218	169	239
1792	223	167	240
1793	228	164	235

單位：銀　分／石

圖 22：清代陝南地區漢中、興安、商州三府州米價五年移動平均
（1738～1795）

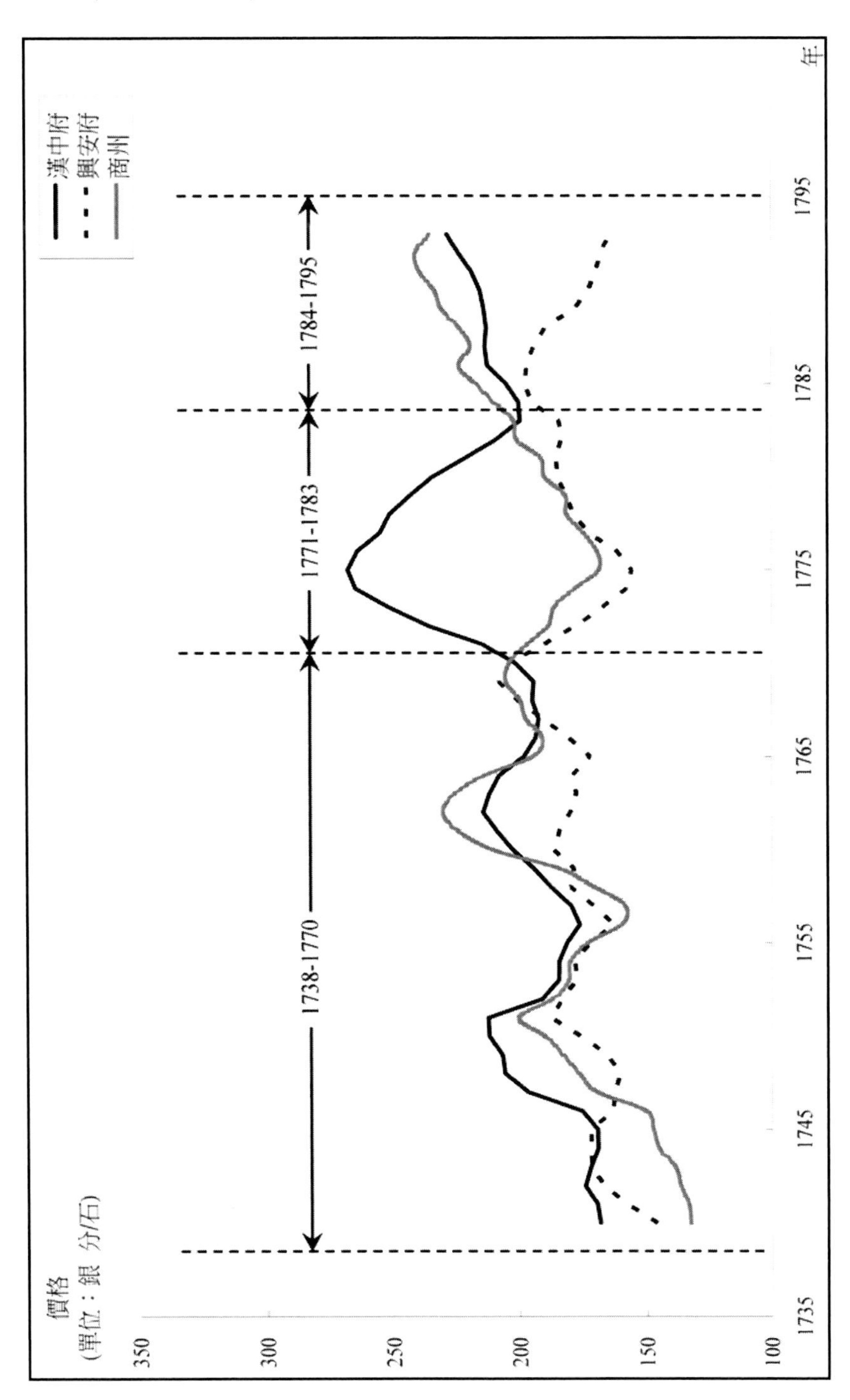

表 9：清代陝南地區漢中、興安、商州三府州米價十年移動平均（1738～1795）

年	漢中府	興安府	商州
1742	169	159	140
1743	172	161	142
1744	185	165	153
1745	189	166	158
1746	188	169	164
1747	191	174	169
1748	194	175	175
1749	194	173	178
1750	195	169	179
1751	195	172	181
1752	197	174	182
1753	194	175	180
1754	185	177	173
1755	186	178	176
1756	189	178	182
1757	192	179	192
1758	192	174	192
1759	197	175	194
1760	199	178	198
1761	201	179	199
1762	200	179	202
1763	201	182	207
1764	203	185	214
1765	203	189	212
1766	201	193	209
1767	200	188	199
1768	204	185	194
1769	214	184	193

1770	223	184	193
1771	229	183	191
1772	235	179	186
1773	239	176	183
1774	245	175	181
1775	251	172	184
1776	253	169	179
1777	251	170	179
1778	242	173	180
1779	231	178	187
1780	225	181	191
1781	221	188	195
1782	219	191	203
1783	216	191	207
1784	211	188	210
1785	206	186	212
1786	206	186	220
1787	210	185	225
1788	215	183	231
1789	218	180	229
1790	220	176	229

圖 23：清代陝南地區漢中、興安、商州三府州米價十年移動平均（1738～1795）

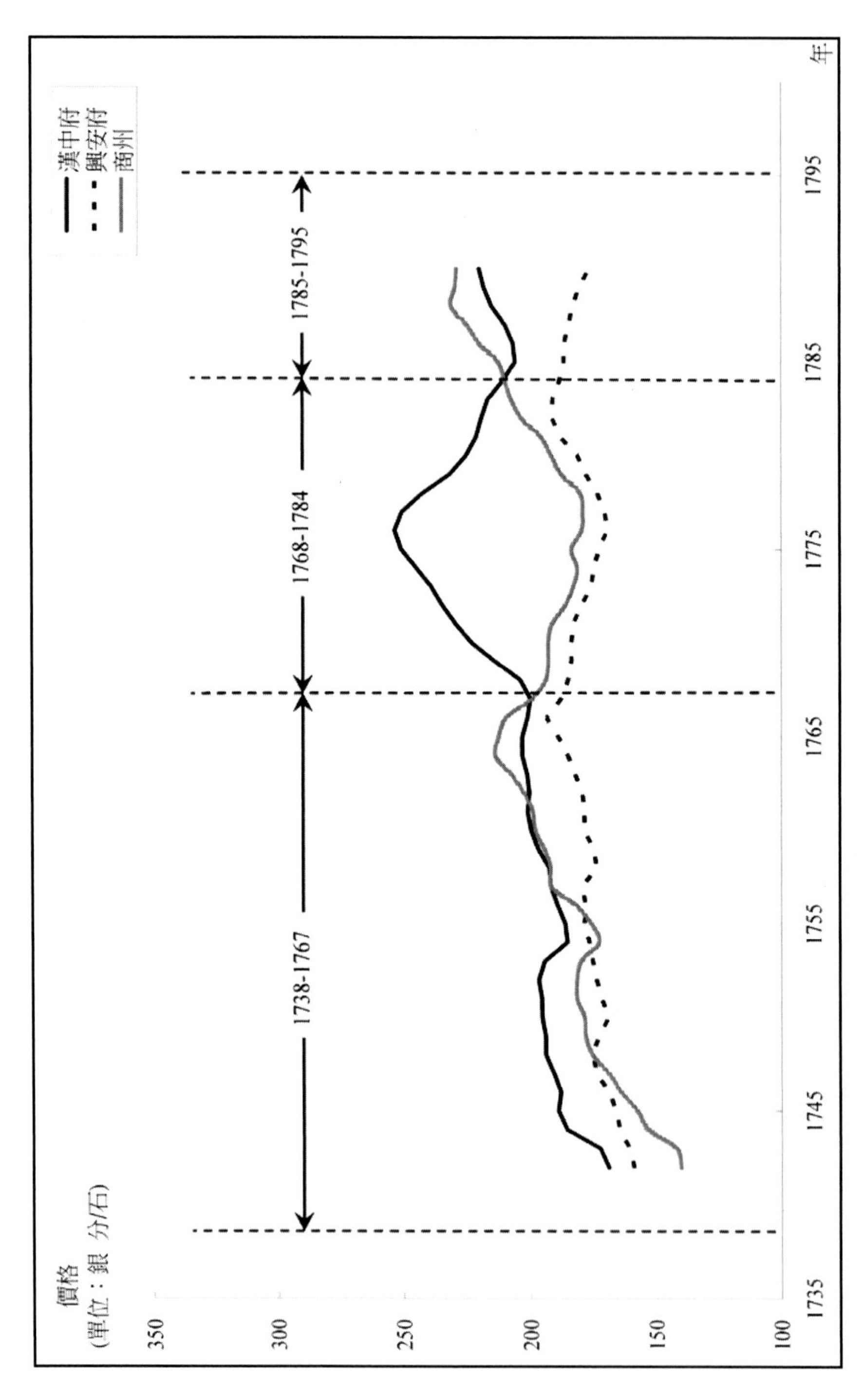

乾隆七年，自四月下旬至八月，杪雨連綿不止，禾稼受傷，牛疫死大半……。〔註5〕

此外，《商南縣志》（隸屬商州）也有從乾隆七年四月下旬開始下雨，到七月上旬才停止的相關紀錄。〔註6〕這兩種地方志的訊息都說明米價上漲的原因可溯自乾隆七年長達三個多月的雨災，對當年秋收造成相當大的農業損害，造成隔年（乾隆8年）米價上漲。

第二個價格峰谷波動在1744～1750、1751年（乾隆9年～15、16年）之間，且漢中、興安、商州三府州的米價最高點都落在1749年（乾隆14年）。興安府年均米價由1746年的銀147分上升至銀170分，商州年均米價由1744年的銀140分急速攀升爲銀235分。從《洵陽縣志》（隸屬興安府）和《白河縣志》（隸屬興安府）中都紀錄乾隆十三年（1748）發生嚴重飢荒。〔註7〕另外從《鎭安縣志》（隸屬商州）的記載得知，乾隆十三年三月初二日出現霜害的情形，應對當年春耘農業活動產生影響。〔註8〕又據陝西巡撫鐘音後來在乾隆十七年（1752），奏報暫禁巨販收糴囤糧預籌民食事由時，在奏章中曾提及：「乾隆十二、三兩年，陝省災歉，曾經前撫臣徐杞、陳弘謀將暫禁外販緣由具奏。」〔註9〕由上述數種史料的記載，說明陝西省因災歉，在乾隆十二、十三年有禁止商人將糧食運到外地販賣的情形，也間接證實乾隆十二、十三年陝西省確實因爲災歉導致飢荒，而乾隆十四年（1749）米價大幅度上漲的原因可能此有關。

第三個價格峰谷波動在1750、1751～1755年（乾隆15、16年～20年）

〔註5〕范啓源纂修，薛醞訂正，《乾隆雒南縣志》（清乾隆十一年刻本影印；南京：鳳凰出版社，2007年），卷10，〈事類志˙災祥〉，頁17b。（a表該頁前半版，b表該頁後半版。下同，不另註明）

〔註6〕羅傳銘修，路炳文纂，《商南縣志》（民國八年鉛印本；臺北：成文出版社，1976年），第二冊，卷11，〈叢紀志・祥異〉，頁3a。

〔註7〕劉德全等纂修，《洵陽縣志》（清光緒三十年刊本；臺北：成文出版社，1969年），第二冊，卷14，〈雜記・祥異〉，頁14b；顧騄修，王賢輔等纂，《白河縣志》（清光緒十九年刊本；臺北：成文出版社，1969年），卷13，〈雜記・災祥〉，頁15a。

〔註8〕聶燾纂修，《鎭安縣志》（清乾隆十八年抄本；臺北：成文出版社，1969年），卷9，〈災祥〉，頁2a。

〔註9〕國立故宮博物院，「清代宮中檔奏摺及軍機處檔摺件」，具奏人：陝西巡撫鐘音，事由：奏報暫禁巨販收糴囤糧預籌民食摺，乾隆17年8月10日，文獻編號403002246。

之間，且漢中、興安、商州三府州的米價最高點也都落在 1753 年（乾隆 18 年）。興安府年均米價由 1750 年的銀 157 分快速上升至銀 226 分，商州年均米價也從 1750 年的銀 178 分上升至銀 223 分。據《洵陽縣志》（隸屬興安府）和《白河縣志》（隸屬興安府）的記錄，得知當地在乾隆十七年（1752）都發生嚴重飢荒的情形。〔註 10〕另《續商州志》記載：

> 乾隆十七年，秋禾被旱，成災六、七、八分不等，内別極貧、次貧。賑恤，極貧加賑兩月，次貧加賑一月，共用銀一千三百兩四錢四分六釐，米二千一百三十二石八斗……。〔註 11〕

《鎮安縣志》（隸屬商州）亦有相關記載：

> 乾隆十七年秋九月……陝省大旱之後，繼以霪雨，各州縣被災年者，什居其九，鎮安者免。〔註 12〕

又陝西巡撫鐘音在乾隆十七年（1752），奏報暫禁巨販收糴囤糧預籌民食事由，在奏章中述及：

> 陝省今歲，自仲夏以來，雨澤稀少，西、同、鳳、乾、興、商等府州所屬，多有被旱，經臣具摺奏明在案，將來西成，不無失望與欠薄之處，民食正慮缺乏，乃有奸商將糧囤積盈千累萬，販晉省，……陝省秋田，現多被旱，更當權其輕重，以裕本省民食，……若聽其源源販運，將見陝省之糧日少，民食日覺艱難。現今各屬糧價日漸增加，亦皆由奸商只圖壟斷囤販居奇所致，……令督撫酌量情形暫行禁止。……臣查秋田，雖未屆收穫之期，然西、同等六府州屬，旱象已成，禾多枯萎，時已八月，即穫甘霖，亦只可種麥，以爲來歲夏收之計，將來蓋藏日少，勢所不免……巨商大賈囤積千萬之糧，販運出境，俱飭行，各屬遵照，定例暫爲禁止，俟陝省民食有餘，再爲酌辦至臨潼縣。……且將來歉收與成災之區，一切撫賑、借糶，正須籌計，臣現諭藩司，預爲通盤計議，雖各屬俱有常社倉糧，而以本地之積貯，撫本地之災

〔註 10〕劉德全等纂修，《洵陽縣志》，第二冊，卷 14，〈雜記・祥異〉，頁 14b；顧騄修，王賢輔等纂，《白河縣志》，卷 13，〈雜記・災祥〉，頁 15a。

〔註 11〕羅文思纂修，《乾隆續商州志》（清乾隆二十三年刻本影印；南京：鳳凰出版社，2007 年），卷 10，〈雜錄・祥異〉，頁 1a。

〔註 12〕聶燾纂修，《鎮安縣志》（清乾隆十八年抄本；臺北：成文出版社，1969 年），卷 9，〈災祥〉，頁 2b。

黎……。〔註 13〕

綜合上述史籍記載可知，乾隆十七年（1752）不僅發生飢荒，在秋收時除嚴重旱災造成農業收成不佳外，還發生商人大量採買糧食運出陝西省外販售，導致地方糧食供需不足的情形，因此地方官員上奏皇帝呈報地方災情，希望能等到糧食收穫恢復正常後，才准許商人採買糧食出境販賣。此外，地方官員也計畫開倉賑災，並動用預備銀來平抑糧價，從這些撫卹措施可證實當地災情的概況。然而如前文所述，災後鎮安縣以外的許多地區又遭遇水患的侵擾，對遭逢旱災的災民來說無疑是雪上加霜，也勢必造成當地糧食供需的緊張。因此，透過這些災害的相關紀錄可說明乾隆十八年（1753）米價急速攀升的原因。

第二期：1756～1771 或 1773 年（乾隆 21 年～36 年或 38 年）。此時期雖有三至四個價格峰谷波動，但波動的幅度大小不一，有明顯差異。依圖 21 所示，可發現漢中、興安、商州三府州米價波動的變化，主要以第二個價格峰谷最爲顯著，並具一致性。至於第一、三、四個價格峰谷波動幅度則較小，且價格峰谷的變化未完全一致。第二個價格峰谷波動的起點分別從 1757、1758、1759（乾隆 22、23、24 年）開始上升，至 1762 年（乾隆 27 年）達米價最高點，其中商州年均米價創新高，從 1757 年（乾隆 22 年）的銀 152 分攀升爲銀 284 分，之後米價又迅速下降至 1764、1765 年（乾隆 29、30 年）僅爲銀 183 分。第二個價格峰谷的變化雖然極微突出，但卻缺乏相關史籍的記載，因此無法得知究竟是自然災害，還是人禍因素造成米價劇烈的變動。

第三期：1771 或 1773～1795 年（乾隆 36 年或 38 年～60 年）。此時期有五個價格峰谷波動，波動的幅度與起迄時段的差異性不僅更加顯著之外，甚至價格上升與下降的走向也未完全一致。第一個價格峰谷，漢中府和商州年均米價的最高點落在 1774 年（乾隆 39 年），漢中府年均米價從 1771 年（乾隆 36 年）的銀 189 分急速攀升至銀 311 分，商州年均米價則從 1773 年（乾隆 38 年）的銀 170 分上升至銀 183 分；興安府年均米價的最高點則在 1776 年（乾隆 41 年），從 1773 年（乾隆 38 年）的銀 144 分上升至銀 166 分。據護理陝西巡撫布政使畢沅在乾隆三十八年（1773），奏報其處理商南縣災賑的相關事

〔註 13〕國立故宮博物院，「清代宮中檔奏摺及軍機處檔摺件」，具奏人：陝西巡撫鐘音，事由：奏報暫禁巨販收糴囤糧預籌民食摺，乾隆 17 年 8 月 10 日，文獻編號 403002246。

宜，在奏章中述及：「奏商南縣（商州）被水情形一摺，已降旨交該部照例撫卹，……經行漢鳳一帶，咨詢農人僉稱藤穀晚莜，稻子俱性宜甲濕，不畏雨多，目下將次成熟……。」等語，也證實乾隆三十八年（1773）米價確實上漲。〔註 14〕

第二個價格峰谷，漢中府和興安府年均米價的最高點落在 1779 年（乾隆 44 年），漢中府年均米價從 1778 年（乾隆 43 年）的銀 234 分上升至銀 266 分，興安府年均米價則從 1777 年（乾隆 42 年）的銀 158 分上升至銀 202 分；商州年均米價的最高點則在 1780 年（乾隆 45 年），從 1777 年（乾隆 42 年）的銀 137 分上升至銀 215 分。據《洵陽縣志》（隸屬興安府）紀錄：「（乾隆）四十四年，楚省饑，上游穀貴，民有坨食觀音土者」，可得知乾隆四十四年（1779）湖北省可能發生飢荒，加上上游米穀昂貴，因此出現人民吃觀音土的情形。〔註 15〕在地理位置上與湖北省相比而鄰陝南地區，也同屬於長江支流漢江（漢水）水系，加上兩省之間素有糧食往來之記錄，例如：湖北與陝西之間糧食運輸路線，一條是沿漢江（漢水），從襄陽運往陝南漢中地區。乾隆中期以前，糧食流向從襄陽溯漢江（漢水）運往漢中。中期以後，漢中地區農業發展，水稻盛行於河谷平原，山區雜糧產量也增加。到乾隆四十三年，漢中糧食順漢江（漢水）反銷襄陽、漢口。另一條運輸路線是沿漢江（漢水），從襄陽到小江口，在沿丹江（丹水）到陝西龍駒寨，然後陸運到商州、西安。〔註 16〕由此可知，在常年時陝南地區與湖北省之間素有糧食相互流通的情形，但當湖北省糧食供應出現問題，無法如常年正常供應陝南地區時，則可能造成當地糧食供需緊張。因此據上述推測，陝南地區糧價升昂可能與湖北省災情有關。

第三個價格峰谷，漢中府和商州年均米價的最高點落在 1787 年（乾隆 52 年），漢中府年均米價從 1783 年（乾隆 48 年）的銀 171 分上升至銀 218 分，商州年均米價則從 1786 年（乾隆 51 年）的銀 210 分上升至銀 215 分；

〔註 14〕國立故宮博物院，「清代宮中檔奏摺及軍機處檔摺件」，具奏人：護理陝西巡撫布政使畢沅，事由：奏爲遵旨查明秋收分數並無妨礙之處及連雲棧中低窪處居民房屋多有頃頹應否酌量查辦乞示，乾隆 38 年 9 月 2 日，文獻編號 403029718。

〔註 15〕劉德全等纂修，《洵陽縣志》，第二冊，卷 14，〈雜記・祥異〉，頁 15a。

〔註 16〕鄧亦兵，《清代前期商品流通研究》（天津：天津古籍出版社，2009 年），頁 60。

興安府年均米價的最高點則在 1786 年（乾隆 51 年），從 1783 年（乾隆 48 年）的銀 176 分上升至銀 234 分。第三個價格峰谷的變化以興安府最爲顯著，因缺乏相關史籍的記載，所以無法得知是天災，或人禍因素而造成米價的變動。

第四個價格峰谷，漢中府年均米價的高點落在 1792 年（乾隆 57 年），漢中府年均米價從 1788 年（乾隆 53 年）的銀 208 分上升至銀 227 分；商州與興安府年均米價的高點則在 1791 年（乾隆 56 年），興安府年均米價則從 1788 年（乾隆 53 年）的銀 173 分上升至銀 177 分，商州年均米價從 1788 年（乾隆 53 年）的銀 213 分上升至銀 245 分。《洵陽縣志》（隸屬興安府）紀錄了當地發生嚴重旱災：「（乾隆）五十三年，旱，大饑。」〔註 17〕導致當地糧價上升。

第五個價格峰谷，漢中、興安、商州三府州年均米價的高點皆落在 1794 年（乾隆 59 年），漢中府年均米價從 1793 年（乾隆 58 年）的銀 224 分上升至銀 236 分，興安府年均米價則從 1793 年（乾隆 58 年）的銀 159 分上升至銀 165 分，商州年均米價從 1792 年（乾隆 57 年）的銀 229 分上升至銀 243 分。從《洵陽縣志》（隸屬興安府）與《白河縣志》（隸屬興安府）都紀載：「（乾隆）五十八年四月，雨雹。」〔註 18〕以及《商南縣志》（隸屬商州）也紀錄了：「（乾隆）五十七年，夏，大旱。」從地方志的相關紀錄可知，乾隆五十七年（1792）夏天發生嚴重旱災，隔年四月還有雹害，進而影響當地農作物的生長。〔註 19〕或許是乾隆五十七年（1792）的影響、遲緩未恢復之故，造成 1794 年糧價略微上昂。

歸納上述，透過觀察自然災害與糧價變動之間是否相對應，確實發現不管是嚴重或輕微的自然災害，都會對農作物的成長或收成造成某些程度的影響，在災害發生的當年或之後的幾年，米價都出現急遽向上攀升或微幅上漲的趨勢。因此，從記述性史料提供的重大自然災害訊息來考察米價的極端值是極爲切合的，同時也印證筆者由「清代糧價資料庫」擷取的糧價數據，經時間數列分析後所建立的米價長期趨勢數列，相當的可靠，可被接受。

〔註 17〕劉德全等纂修，《洵陽縣志》，第二冊，卷 14，〈雜記・祥異〉，頁 15a。

〔註 18〕劉德全等纂修，《洵陽縣志》，第二冊，卷 14，〈雜記・祥異〉，頁 15a；顧騄修，王賢輔等纂，《白河縣志》，卷 13，〈雜記・災祥〉，頁 15a。

〔註 19〕羅傳銘修，路炳文纂，《商南縣志》，第二冊，卷 11，〈叢紀志・祥異〉，頁 3b。

第三節　漢中、興安、商州三府州的米價相關分析

第一節的圖 21、圖 22、圖 23，所呈現的是漢中、興安、商州三府州米價長期趨勢，與五年移動平均和十年移動平均的變動。從圖中我們可觀察出，這三府州的米價變動在第一期：1738～1755 年（乾隆 3 年～20 年），與第二期：1756～1771 或 1773 年（乾隆 21 年～36 年或 38 年），或 1760 年代晚期至 1770 年代初期以前，三府州都呈上升趨勢，且亦步亦趨。但在第三期：1771 或 1773～1795 年（乾隆 36 年或 38 年～60 年），或 1760 年代晚期以後，米價的變動差異最明顯，其變動趨向在部分年段並不同，例如：1760 年代晚期至 1780 年代初期，漢中府與興安、商州二府州呈背向發展。1780 年代初期以後，興安府與漢中、商州二府州反向變動。由此推論，漢中、興安、商州三府州糧價變動的趨勢，可能在 1760 年代晚期以前，或第一、二期之前較整合。因此，爲了能進一步確認此三府州彼此糧價變動的關聯性，需再做進一步的考察。

接下來筆者以漢中、興安、商州三府州的米價數列來進行統計學上的相關分析，以考察此三地糧食市場的關聯。爲了能檢驗兩個價格數列是否相關，及相關程度的高低，必須先將影響時間數列中的循環變動、長期趨勢變動因素排除（價格數列用的是年均價，即已消除季節變動因素），即以每年平均價格除去趨勢值與循環變動值（循環變動值以五年移動平均消除）求得。〔註 20〕

〔註 20〕一個時間數列通常包含四種因素，即長期趨勢、季節變動（季節性波動）、循環變動和不規則變動（剩餘因素，也就是隨機部分）。統計學家多認爲其組成關係是相乘的，其公式表示爲：時間數列＝長期趨勢×季節變動×循環變動×不規則變動。如果採用年均價格資料，則已把季節變動排除，但是趨勢值及循環值依然存在。兩條直線趨勢而求其相關，其相關係數必等於一。在這種情形下如果不排除趨勢值及循環值，而以原始年均價格資料求相關係數，其結果若是因爲兩個時間數列中的循環值及不規則變動值合起來呈正相關的話，再加入完全相關的趨勢值則會誇大這二個數列的相關程度。相反地，如果循環值及不規則變動值的綜合呈高度負相關時，加入完全相關的趨勢值則可能使這二個數列的相關程度減低到接近於零。基於同樣的理由，如果時間數列中的循環變動因素沒有剔除，計算相關時也會造成錯誤的結果。所以，在作相關分析時宜先除去時間數列中的季節變動、趨勢值及循環值等因素，而僅就不規則變動值求其相關係數。換言之，我們所要考察的是不規則變動數值的相關。王業鍵、黃國樞，〈十八世紀中國糧食供需的考察〉，收入王業鍵，《清代經濟史論文集》（臺北：稻鄉出版社，2003 年），第 1 冊，頁 154～157。王業鍵、陳仁義、周昭宏，〈清中葉東南沿海糧食作物分布、糧食供需及糧價分析〉，收入王業鍵，《清代經濟史論文集》，第 2 冊，頁 113。

表10所列漢中、興安、商州三府州的相關係數，便是根據上述方法求得。

相關係數的數值會顯示於 0 至 1 之間，數值愈大表示兩者相關程度愈高，反之則愈低。數值若爲正，表示兩者爲正相關，若爲負值，兩者則爲負相關。數值爲 0，表示兩者沒有相關，+1 或～1 表示兩者完全相關。〔註21〕表 10 是這三府州的相關係數値，這些數値相關顯示的情形爲：第一，表中的相關係數數値並非都屬正數，出現二個負數値，而且數値都不算高，最高者不過達 0.4 左右。第二，漢中府和興安府、商州之間的米價都呈現負相關，表示漢中府與和興安府、商州的米價變動並非同向同步，而是反向發展。漢中府和興安府的相關係數爲－0.36，表示這二個地區之間的關聯較微弱。然而，這種反向發展，以漢中府、商州而言，極不顯著，因其係數値才 0.08，也可說幾近於 0，兩者似是沒有相關。相對而言，漢中府和興安府雖也是負相關，其係數値則稍高，爲 0.36，兩者可說是較弱的負相關。第三，雖然興安府和商州兩個地區對漢中府的相關程度爲零相關或負相關，但是興安府和商州之間的米價相關程度卻是正相關，其相關相對的高，爲 0.41。由此看來，就稻米糧食市場而言，三府州並不構成一個糧食市場區，但其中的興安府和商州地區米價有相當程度的整合，這兩個府州才形成一個市場區。

表 10：清代陝南地區漢中、興安、商州三府州的米價變動相關係數（1738～1795）〔註22〕

	漢　中	興　安	商　州
漢　中	1		
興　安	-0.36	1	
商　州	-0.08	0.41	1

〔註21〕相關係數值解釋，謝美娥，〈十九世紀淡水廳、臺北府的糧食市場整合研究〉，淡江大學歷史學系、臺北縣淡水鎮公所聯合主辦，「第五屆淡水學國際學術研討會」，臺北：淡江大學、淡水鎮公所，2010 年 10 月 15～16 日，頁 33。

〔註22〕清代陝南地區漢中、興安、商州三府州的米價變動相關係數，以五年爲周期與四年爲周期分別求得。二者相較下，並無太大差異，以表 10 求得的結果較佳。其以四年爲周期計算出的相關係數如下：

	漢　中	興　安	商　州
漢　中	1		
興　安	-0.34	1	
商　州	-0.05	0.40	1

再根據第一節米價長期趨勢變動的分期，以第三期（1771）爲切割點，使用相關分析法求取漢中、興安、商州三府州在 1738～1771，與 1772～1795 年，這兩個年段的相關係數值，如表 11、12。〔註 23〕

表 11：清代陝南地區漢中、興安、商州三府州的米價變動相關係數（1738～1771）

	漢　中	興　安	商　州
漢　中	1		
興　安	0.05	1	
商　州	0.90	0.15	1

表 12：清代陝南地區漢中、興安、商州三府州的米價變動相關係數（1772～1795）

	漢　中	興　安	商　州
漢　中	1		
興　安	-0.82	1	
商　州	-0.36	0.20	1

〔註 23〕清代陝南地區漢中、興安、商州三府州 1738～1771 年的米價變動相關係數，以五年爲周期與四年爲周期分別求得。二者相較下，並無太大差異，以表 11 求得的結果較佳。其以四年爲周期計算出的相關係數如下：

	漢　中	興　安	商　州
漢　中	1		
興　安	0.05	1	
商　州	0.87	0.18	1

漢中、興安、商州三府州 1772～1795 年的米價變動相關係數，以五年爲周期與四年爲周期分別求得。
二者相較下，並無太大差異，以四年爲周期計算出的結果較佳，但爲與表 10、表 11 一致，因此採取五年爲周期計算出的相關係數，即表 12。而以四年爲周期計算出的相關係數如下：

	漢　中	興　安	商　州
漢　中	1		
興　安	-0.73	1	
商　州	-0.22	0.21	1

表 11 是漢中、興安、商州三府州自 1738～1771 年間的相關係數值，經相關分析求得的結果發現，表中的漢中和興安二府相關係數趨近於 0，二者可說是沒有相關。但漢中府和商州二者的相關係數值高達 0.90，表示這二個地區之間的關聯極為顯著。以此計量分析結果與圖 21、22 的米價五年移動平均和米價十年移動平均變動情形相印證，確實發現漢中府和商州二者間的變動趨勢較漢中府與興安府二者來的同步同向，也證實漢中府和商州二者間的高度相關是可信的。至於興安府和商州的數值為 0.15，相對興安府與漢中府之間的零相關而言，興安府和商州這二個地區之間雖然較有關聯，但亦不甚高整合。根據上述，可發現漢中、興安、商州三府州並未形成統一的糧食市場，而是漢中府與商州這二個地區整合程度較高，形成一個市場區。

表 12 是漢中、興安、商州三府州自 1772～1795 年間的相關係數值，經計量分析結果發現，表中的相關係數值並非都是正相關，而且漢中府和興安府、商州的相關係數都是負相關，分別為－0.82 和－0.36，表示漢中府與興安府、商州這二個地區之間的關聯明顯微弱。至於興安府和商州的數值為 0.20，數值並不高，表示這二個地區的市場整合程度不如預期來的高。由此可知，漢中、興安、商州三府州在 1772～1795 年間已無整合程度可言，並未構成一個統一的糧食市場。

歸納上述表 11、12 的分析，發現與第一節根據圖 22、23 的米價五年移動平均和米價十年移動平均變動觀察，認為在 1771 年以前，或圖 21 中的第一、二期，三府州趨勢變動較整合的論點並未完全相符，且藉由分期的計量分析結果，可看出三府州在不同時間的差異。此三府州在 1738～1771 年間的相關分析結果表示，漢中府與商州地區才形成一個市場區，其結果只有部分符合第一節認為在 1771 年以前，或圖 21 中的第一、二期，三府州趨勢變動較整合的論點。至於三府州在 1772～1795 年間的計量分析結果表示，漢中府與興安府、商州之間為明顯負相關，由此可知，無論在未分期或分期的相關分析結果，漢中府相對興安府、商州二地區而言，都是一個比較獨立於興安和商州這二個地區以外的市場。而興安府與商州地區的米價相對漢中府較為相關，其分析結果也與表 10 的計量分析結果相符合。

歸納上述利用相關分析方法求得漢中、興安、商州三府州的相關係數值，觀察三府州的稻米糧食市場整合程度。根據相關分析結果發現，漢中、興安、商州三府州並不構成一個稻米糧食市場區，與第一章綜合學者對於糧食生產有關的研究成果所顯示的區域分劃來看，漢中、興安、商州三府州應可構成一個經濟區（市場區／市場圈）的論點，與本文的計量分析結果並不相符。

進一步透過地方志記載來分析陝南地區稻米主要產地分布，可發現稻田主要集中在漢中盆地一帶，例如：南鄭縣東西地皆平原，漢江（漢水）沿岸田約計十三萬餘畝，褒城縣稻田有一千畝，城固縣由慶山至縣城爲適中膏腴之地，田有八萬餘畝，與四川接壤之處，田有四萬餘畝，洋縣稻田有六千畝，西鄉縣有六萬餘畝稻田，沔縣多爲平原，稻田有二萬畝。〔註 24〕至於陝南其他地區則是呈點狀或線狀分布，面積不是太大。例如：興安府漢陰廳境內，平原約長百里，均係水田有數十萬畝，商州直隸州田有一萬餘畝，雒南縣四境皆山，平原甚少，田僅數十頃。〔註 25〕根據上述地方志記載，發現漢中、興安、商州三府州的稻米種植面積，囿於地形的限制，未如預期廣泛分布於陝南地區，而是集中於此三府州的某些縣內。此外，糧食屬於笨重商品，主要利用運費較低廉的水路來運送，但陝南地區境內多山地，造成外運困難。〔註 26〕因此，透過分析稻米主要產地的分布與運輸情形，推論此三府州內生產的稻米可能主要流通於各府內的地區，未能在此三府州的糧食市場彼此相互流通，而導致漢中、興安、商州三府州無法構成一個稻米糧食市場區（市場圈／經濟區）。

然而，就稻米主要產地分布與運輸條件分析所得的結果，反而與美國學者威爾金森（Endymion P. Wilkinson）利用二十世紀最初十年的陝西糧價細冊，對陝西地區的稻米糧食市場進行考察的結論相符。威爾金森認爲以稻米而言，陝西省內不同地區有不同的供需條件，例如：每個城鎮有自己主要的生產中心，而且米價因受限於水路運輸條件的不同，導致米價並爲隨著距離遠近而增加運輸成本。因此，威爾金森認爲整個陝西地區並沒有形成一個統一的市場區，甚至在稻米主要產地的市場整合程度也不明顯。〔註 27〕由此可知，

〔註 24〕盧坤撰，《秦疆治略》（清道光年間刊本；臺北：成文出版社，1970 年），頁 51a、51b、52a、53a、53a、54a、57a。

〔註 25〕盧坤撰，《秦疆治略)》，頁 19a、21b、60a。耿占軍，《清代陝西農業地理研究》（西安市：西北大學出版社，1996 年），頁 78。

〔註 26〕張萍，〈明清陝西商業地理研究〉（西安：陝西師範大學歷史地理研究所博士論文，2004 年），頁 223。

〔註 27〕Endymion P. Wilkinson, “ Studies in Chinese Price History”（New York:Garland

糧食市場的整合不僅受到糧食作物產地分布影響，水路運輸條件優越與否也影響糧食商品的流通範圍。陝南三府州在十八世紀時未必形成統一糧食市場區，其因或與此有關，畢竟以旱地作物爲主的陝西，其稻作在十八世紀到二十世紀初的擴展殆爲有限，若二十世紀初都未能形成整合，則十八世紀時的整合尚弱。

其次，在第一章也探討過與農業商業化有關的商品流通與運輸路線，以及關於市場體系的研究成果，發現漢江（漢水）與丹江（丹水）流域幾乎涵蓋整個陝南地區，而位於漢江（漢水）水運流通網絡中心的漢中，由於優越的交通運輸條件，而成爲陝南地區的地區商業中心，其商品流通腹地範圍則包含整個陝南地區，也就是說，陝南地區可視爲以漢江（漢水）水運爲主要流通網路的市場區（市場圈／經濟區），而漢中則爲此市場區的核心。但是如果進一步探討陝南地區商品流通路線，可發現其商品流通路線主要分爲兩條運路，一條是沿漢江（漢水），從襄陽運往陝南漢中地區；另一條運路，是沿漢江（漢水），從襄陽到小江口，再沿支流丹江到陝西龍駒寨，然後陸運至商州、西安，〔註 28〕由西安運往西北各地，且沿丹江（丹水）向下也可運向往河南、湖北漢口，甚至到上海等地。所以，丹江（丹水）水運也就成爲聯繫中西部經濟貿易的紐帶。〔註 29〕關於陝南糧食運輸情形，因糧食屬笨重商品，其流通路徑大多藉由水路運輸，而漢江（漢水）更是成爲陝南地區糧食輸出的主要運路，糧食輸出區住要集中在沿漢江（漢水）兩岸各州縣，漢中府、興安府是最大的糧食集散地與轉運市場，且與漢口一江相連的漢中府、興安府及附近州縣，也成爲運銷漢口糧食的重要地區。〔註 30〕由此可推而得知，漢中、興安、商州三府州商品流通路線的起迄並未完全一致，也因此可能導致此三府州的稻米糧食市場整合程度不如預期來的高。

綜合上述，根據相關分析的結果，得知漢中、興安、商州三府州並未構成一個稻米糧食市場區。探究其原因，可能囿於主要產地的分布與水路運輸條件的不同，進而影響市場整合的程度，因此，僅有興安府與商州形成一個稻米糧食市場區（市場圈／經濟區）。

Publishing, Inc., 1980）, pp.198-191.

〔註 28〕鄧亦兵，《清代前期商品流通研究》，頁 60。

〔註 29〕李剛，《明清時期陝西商品經濟與市場網絡》（西安：陝西人民教育出版社，2009 年），頁 207。

〔註 30〕張萍，〈明清陝西商業地理研究〉，頁 229～230。

圖 24：清代陝南地區水路運輸路線圖

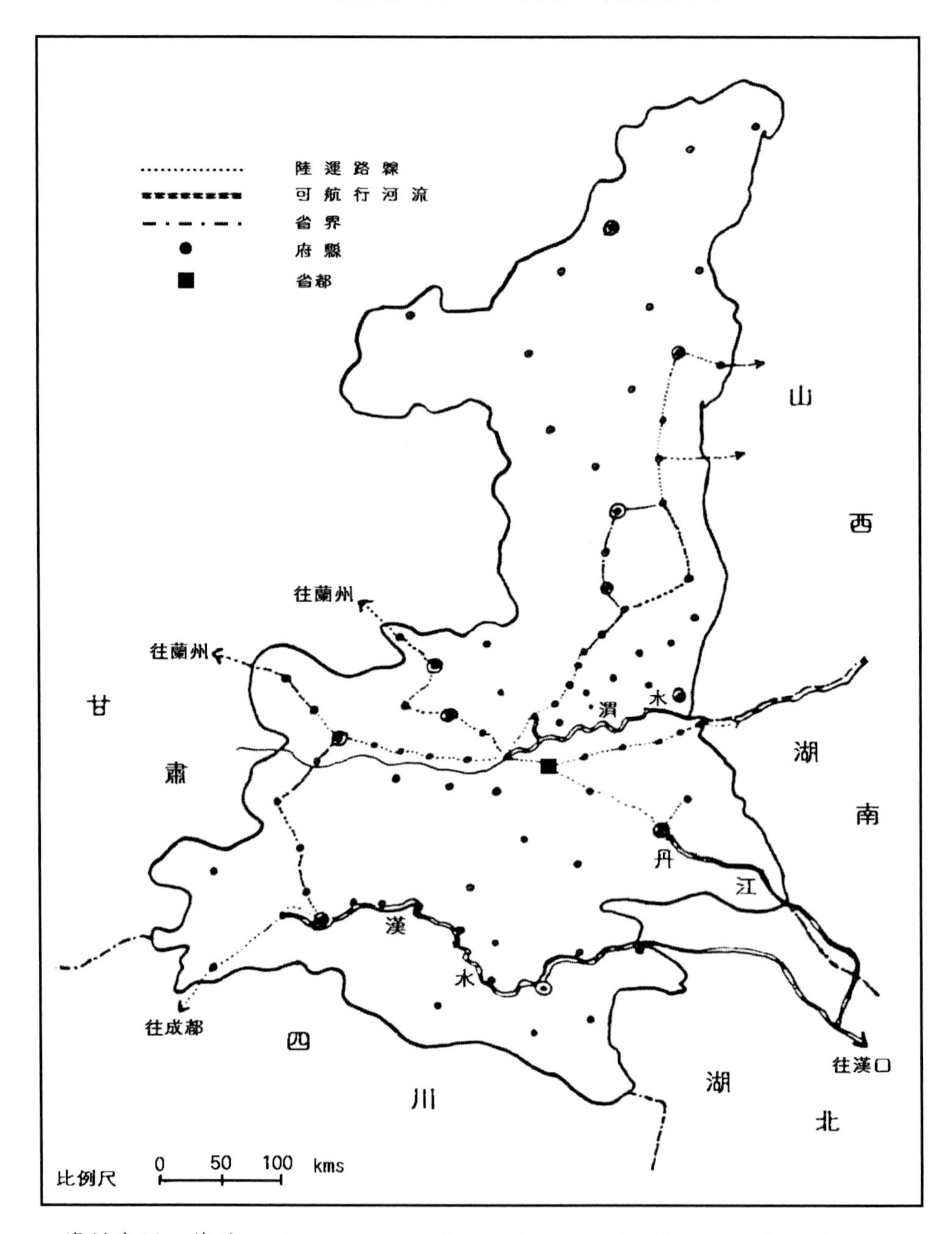

資料來源：修改 Endymion P. Wilkinson, “ Studies in Chinese Price History ”（New York:Garland Publishing, Inc., 1980）, pp.157.

第四章　結　論

有關清代糧價史的研究，根據王業鍵在〈清代經濟芻論〉一文提出的廣泛性成長觀點，將陝西歸類於「開發中區域」，是有餘糧可外運的省分。但實際上，陝西省內各地區糧食生產情況不一，陝北、關中、陝南三區農業生產技術水平各區存在高低不一的差異。基本上，陝南地區在清代農業經濟的發展上較爲突出，除可滿足當地糧食供給之外，也有餘糧可供外運。但以自然環境，和中國農業生產部門中的糧食作物分布與輪作制度劃分而成的陝南地區，是否同屬一個糧食市場區（市場圈／經濟區）？在這個區域內，稻米的流通運輸是否互通有無，以及其糧食價格的變化是否對彼此產生高度的影響，或呈現一致性的變動趨勢？這些問題的思考，實是著眼於由農業部門中的作物生產及輪作體系形成的陝南三府，是否也可構成一個經濟區？而關於經濟區的構成與確立，透過市場整合（Market Iintegration）研究來解決是最適當的一個途徑。然而，筆者研讀有關目前清代陝西市場整合的相關研究成果，發現多數學者研究面向聚焦於與糧食生產有關的農業發展，與農業商業化有關的商品流通或運輸網絡，以及市場體系的區劃等相關議題，尚未有學者利用糧價數據分析米價變動，探討十八世紀陝南地區糧食市場的整合情形。

本研究主題爲十八世紀陝南地區的糧食市場整合研究，屬於清代糧價史的延伸研究議題。在時間上，雖名爲十八世紀，但主要以乾隆朝的1738～1795年爲研究斷限。研究內容包括糧價史料的整建、可靠性的檢驗，並在建立糧價數列之後，進行時間數列分析，觀察糧價長期趨勢的變動，與求得相關分析的結果，最後輔以記述性史料來解釋糧價變動。關於數據史料的選取，本文利用清代質量皆佳的數據史料——糧價清單中的價格數據，取自王業鍵編的「清代糧價資料庫」——進行研究。

首先，對米價史料進行可靠性評估。本文從「清代糧價資料庫」中輯出陝西南部地區漢中、興安、商州三府州之糧價，分別獲得清代漢中府 1738～1911 年稻米的低價和高價、興安府 1738～1911 年稻米的低價和高價、商州 1738～1911 年稻米的低價和高價，共六個米價數列。這六個米價數列的數據是否完全可用？乾隆初年雖已建立糧價陳報制度，但所陳報的價格數據的可靠程度，可能因地方官員的不同執行狀況，而存在著極大的差異。所以在使用前，需利用科學的方法進行可靠性評估，篩選出可用的糧價，以便製成糧價「原始資料」（Raw Data）進行時間數列分析。這六個米價數列經篩選後發現，以乾隆時期的米價高價數列品質相對較佳，因此做爲清代陝南地區漢中、興安、商州三府州糧價統計分析的糧價「原始資料」（Raw Data）。

其次，經篩選後的米價高價數列可靠性相對地高，但仍有某一小段落的資料斷裂缺漏，因此需先處理遺漏值的問題。對於遺漏值的補值，筆者分別運用內插與外推（Interpolation and Extrapolation）法和季節指數調整法來處理。接下來進行時間數列分析。筆者以補值後的漢中、興安、商州三府州的米價高價數列計算其年平均價格，並透過最小平方法求米價的長期趨勢。從長期趨勢的曲線可看出此三府州在 1738～1795 年間的波動變化。漢中府的平均米價爲庫平銀 2.0614 兩，每年平均以銀 0.0107 兩的速度逐年增加，興安府的平均米價爲庫平銀 1.7520 兩，每年平均以銀 0.0030 兩的速度緩步成長，其增加速度在三府州中爲平緩，商州的平均米價爲庫平銀 1.8956 兩，每年平均以銀 0.0140 兩的速度成長，米價增長率較漢中府緩慢增加。總之，此三府州的米價在這五十八年間的價格水平接呈現逐漸平緩上升的趨勢，再藉由剔除循環值的五年移動平均和十年移動平均，做進一步觀察，可更清楚看出米價的變動曲線都呈現緩慢上升的趨勢。

根據米價變動的趨勢，分爲三個時期。第一期爲 1738～1755 年（乾隆 3 年～20 年），第二期爲 1756～1771 或 1773 年（乾隆 21 年～36 年或 38 年），第三期爲 1771 或 1773～1795 年（乾隆 36 年或 38 年～60 年）。第一期米價的升降趨勢，可區分成三個完整的價格峰谷變化；第二期 1756～1771 或 1773 年（乾隆 21 年～36 年或 38 年），雖有三至四個價格峰谷波動，但波動的幅度大小不一，有明顯差異，其中以第二個價格峰谷最爲顯著，並具一致性；第三期：1771 或 1773～1795 年（乾隆 36 年或 38 年～60 年），有五個價格峰谷波動，但波動的幅度與起迄時段的差異性不僅更大之外，價格的上升與下降走向也未完全一致。為了確證以上米價變動是否可信？筆者透過觀察自然災害發生年份，或之後的幾年間是否出現米價異常波動，以此檢視兩者間的關聯程度，並確認該數列的米價極端波動是否合理，亦即驗證其極端值非人為統計誤差所造成。

第一期有三個價格峰谷。第一個價格峰谷：1738～1744、1746 年（乾隆 3 年～9、11 年）之間，興安府和商州米價的最高點皆落在 1743 年（乾隆 8 年），據史籍記載，乾隆七年發生長達三個多月的雨災，可能造成當年秋收損害，進而造成隔年（乾隆 8 年）米價上漲。第二個價格峰谷：1744～1750、1751 年（乾隆 9 年～15、16 年）之間，漢中、興安、商州三府州的米價最高點都落在 1749 年（乾隆 14 年），從史籍記載發現，乾隆十二、十三年陝西省確實因為災歉導致飢荒，還有寒害，因此乾隆十四年（1749）米價大幅度上漲的原因可能此有關。第三個價格峰谷：1750、1751～1755 年（乾隆 15、16 年～20 年）之間，漢中、興安、商州三府州的米價最高點也都落在 1753 年（乾隆 18 年）。從乾隆十七年（1752）的史籍記載得知，興安府、商州等地區不僅發生飢荒，在秋收時，除嚴重旱災造成農業收成不佳外，還有地方官員奏請當地糧食禁止外運的記錄，可得知當地糧食供需緊張，而且不久商州地區又發生水患的侵擾，無疑對災情是雪上加霜。因此，透過這些災害的相關紀錄，可說明乾隆十八年（1753）米價急速攀升的原因。

第二期以第二個價格峰谷的波動變化最為顯著，起點分別從 1757、1758、1759（乾隆 22、23、24 年）開始上升，至 1764、1765 年（乾隆 29、30 年）下降至低點，其價格高點落在至 1762 年（乾隆 27 年）。但因缺乏相關史籍的記載，所以無法得知究竟是自然災害，還是人禍因素造成米價劇烈的變動。

第三期有五個價格峰谷波動。第一個價格峰谷，漢中府和商州年均米價的最高點落在 1774 年（乾隆 39 年），興安府年均米價的最高點則在 1776 年（乾隆 41 年），據乾隆三十八年（1773）商南縣災賑的相關記錄，推測米價上漲因素可能與此有關。第二個價格峰谷，漢中府和興安府年均米價的最高點落在 1779 年（乾隆 44 年），商州年均米價的最高點則在 1780 年（乾隆 45 年），據史籍得知，乾隆四十四年（1779）湖北省發生飢荒，與湖北省相比鄰的陝南地區，二者素有糧食往來之記錄。由此推測，陝南地區糧價升昂可能與湖北省飢荒有關。第三個價格峰谷，漢中府和商州年均米價的最高點落在 1787 年（乾隆 52 年），興安府年均米價的最高點則在 1786 年（乾隆 51 年），但因缺乏相關史籍的記載，所以也無法得知是天災或人禍因素造成米價變動。第四個價格峰谷，漢中府年均米價的高點落在 1792 年（乾隆 57 年），漢中府年均米價從 1788 年（乾隆 53 年），商州與興安府年均米價的高點則在 1791 年（乾隆 56 年），從史籍得知當地發生嚴重旱災，因此可能導致當地糧價上升。第五個價格峰谷，漢中、興安、商州三府州年均米價的高點皆落在 1794 年（乾隆 59 年），根據史籍記錄，乾隆五十七年（1792）夏天發生嚴重旱災，隔年還有雹害，當地可能受到這些災害影響、遲緩未恢復之故，造成 1794 年糧價略微上昂。

歸納上述，透過觀察自然災害與糧價變動之間是否相對應，確實發現不管是嚴重或輕微的自然災害，都會對農作物的成長或收成造成某些程度的影響，在災害發生的當年或之後的幾年，米價都出現急遽向上攀升或微幅上漲的趨勢。因此，以上各個米價的峰值，大部分已藉由記述性史料佐證其極端價格是受自然災害因素所致，並非人爲統計結果，也印證筆者由「清代糧價資料庫」擷取的糧價數據，經時間數列分析後所建立的米價長期趨勢數列相當的可靠，可被接受。

透過米價長期變動的觀察，顯示漢中、興安、商州三府州糧價變動的趨勢，可能在 1760 年代晚期以前，或第一、二期較整合。因此，爲了能進一步確認此三府州彼此糧價變動的關聯性，進行統計學上的相關分析，以考察此三地糧食市場的關聯。根據未分期的計量分析結果發現，三府州的相關係數數值並非都屬正數，漢中府和興安府、商州之間的米價都呈現負相關，表示漢中府與和興安府、商州的米價變動並非同向同步，而是反向發展。其中漢中府和興安府的相關係數爲－0.36，表示這二個地區之間的關聯較微弱。然而，這種反向發展，對漢中府、商州來說，並不顯著，因其係數值只有 0.08，幾近於 0，因此兩者可說是沒有相關。至於興安府和商州之間的米價相關程度爲正相關，雖不係數值高，只有 0.4 左右，但相對漢中府和興安府，以及漢中府和商州二組相關係數值而言，其相關性相對的高。由此看來，就稻米糧食市場而言，三府州並不構成一個糧食市場區，但其中的興安府和商州地區米價有相當程度的整合，這兩個府州才形成一個市場區。

上述爲未分期的相關分析結果，再進一步根據米價長期趨勢變動的分期，則可看出時間差異。時間分期是以第三期（1771）爲切割點，並使用相關分析法求取漢中、興安、商州三府州在 1738～1771 年，與 1772～1795 年，這兩個年段的相關係數值。首先，由 1738～1771 年間的米價相關係數值發現，漢中、興安府、商州三府州並未形成統一的糧食市場，只有漢中府與商州二個地區之間爲高整合，而漢中府與興安府，以及興安府與商州之間則沒有整合。其次，1772～1795 年間的相關係數值結果顯示，漢中府與興安府、商州之間的的相關係數值皆爲負相關，可知彼此間的關聯微弱，相對而言，興安府與商州二個地區的米價相關係數值爲 0.20，較爲相關，因此只有興安府與商州這兩個府州才形成一個市場區。

歸納上述分析可知，漢中、興安、商州三府州在 1738～1771 年間，只有漢中府與商州地區才形成一個市場區，其結果只部分符合前一章認爲在 1771 年以前，或第一、二期，三府州的趨勢變動較整合的論點，但也不違未分期的計量分析結果。至於三府州在 1772～1795 年間的計量分析結果表示，漢中府與興安府、商州之間爲明顯負相關，與未分期的計量分析結果相符。由此可知，無論在未分期或分期的相關分析結果，漢中府相對興安府、商州二地區而言，都是一個較各自獨立的市場。而興安府與商州二個地區的米價則較相關，這兩個府州才形成一個市場區。

根據相關分析結果發現，十八世紀期間，漢中、興安、商州三府州並不構成一個稻米糧食市場區，與第一章綜合學者對於糧食生產有關的研究成果所顯示的區域分劃，與農業商業化有關的商品流通與運輸路線，以及關於市場體系的研究成果，都指向陝南地區漢中、興安、商州三府州應可構成一個經濟區（市場區／市場圈）的論點，但與本文的計量分析結果並不相符。筆者透過記述性史料與前人的研究成果中，有關漢中、興安、商州三府州稻米主要產地分布，以及此三府州商品流通路線，來輔助解釋相關分析的計量結果。據此推論，漢中、興安、商州三府州未能構成一個統一的糧食市場，或許與受限於糧食主要產地的分布，以及水路運輸條件的不同，進而影響市場整合的程度，所以陝南地區僅有興安府與商州形成一個稻米糧食市場區，而漢中府獨立此一稻米糧食市場外。

一個完整的糧價研究應包含兩個先後相關聯的層次，即基礎研究與延伸研究兩個部分。筆者以 1738～1795 年的米價數據史料建立糧價數列，即屬於基礎研究範圍，之後進行時間數列分析，考察十八世紀陝南地區的米價長期變動趨勢，並證實陝南並不構成一個統一的糧食市場區，則屬於延伸研究範圍。未來尚可以此爲基礎，再進行各項議題的深入探討。例如：就清代的糧食市場整合研究而言，陝南地區屬於陝西的次級糧食市場區，至於此市場區是否與省內其他地區形成較爲相關的糧食市場區，則可透過進一步的探討，以期能更瞭解陝西境內各區糧食市場整合狀況的全貌，或進行跨省區的市場整合研究，得知陝南地區是否與鄰省形成更大的糧食市場區，使清代中國糧食市場整合的輪廓更加完整。

最後，本文研究結果，雖然未能完全符合施堅雅所言，區域內市場往來關係密切，究其原因，或許與陝南所處的糧食作物分布範圍有關。根據本文的研究成果來回應在第一章，即筆者根據糧食作物分布與輪作制度來推論，陝南地區在稻米糧食市場上可能同屬一市場區（市場圈／經濟區）的論點，已明確顯示前文的推論並不成立。然而，位於米麥交界區的陝南地區未構成一個統一的稻米糧食市場，此驗證結果是屬於米麥交界區的農業生產典型，還是僅是一個案，則需再透過對同樣位於米麥交界區的河南省的汝寧、光州二府州，進行糧食市場整合研究，之後再綜合這兩個同屬米麥交界區的研究成果，才能做進一步判斷陝南地區的農業生產類型爲何。此外，陝西省的清代糧價清單上所陳列主要糧食，除稻米以外，大多數屬於小米、大麥、小麥等旱地作物，因此，若以稻米以外的旱地作物進行糧食市場整合，或許可獲得不同的結果。上述皆爲另一與糧食市場整合研究相關的延伸課題，未來則有待後續者探討。

徵引書目

一、史　料

（一）檔　案

1. 國立故宮博物院，「清代宮中檔奏摺及軍機處檔摺件」。

（二）方　志

1. 范啓源纂修，薛韞訂正，《乾隆雒南縣志》，清乾隆十一年刻本影印，南京：鳳凰出版社，2007 年。
2. 劉德全等纂修，《洵陽縣志》，清光緒三十年刊本，臺北：成文出版社，1969 年，第二冊。
3. 盧坤撰，《秦疆治略》，清道光年間刊本，臺北：成文出版社，1970 年。
4. 聶燾纂修，《鎮安縣志》，清乾隆十八年抄本，臺北：成文出版社，1969 年。
5. 羅文思纂修，《乾隆續商州志》，清乾隆二十三年刻本影印，南京：鳳凰出版社，2007 年。
6. 羅傳銘修，路炳文纂，《商南縣志》，民國八年鉛印本，臺北：成文出版社，1976 年，第二冊
7. 顧騄修，王賢輔等纂，《白河縣志》，清光緒十九年刊本，臺北：成文出版社，1969 年。

二、專　書

（一）中　文

1. 牛平漢，《清代政區沿革綜表》，北京：中國地圖出版社，1990 年。

2. 王業鍵，《清代經濟史論文集》，臺北：稻鄉出版社，2003 年。
3. 李又剛、林志鴻、賴錦璋，《經濟學原理》，臺北：華泰文化，2003 年。
4. 李剛，《明清時期陝西商品經濟與市場網絡》，西安：陝西人民教育出版社，2009 年。
5. 岸本美緒著，劉迪瑞譯，《清代中國的物價與經濟波動》，北京：社會科學文獻出版社，2010 年。
6. 施堅雅著，王旭等譯，《中國封建社會晚期城市研究》，長春：吉林教育出版社，1991 年。
7. 耿占軍，《清代陝西農業地理研究》，西安市：西北大學出版社，1996 年。
8. 陳春聲，《市場機制與社會變遷——18 世紀廣東米價分析》，臺北：稻鄉出版社，2005 年。
9. 鄧亦兵，《清代前期商品流通研究》，天津：天津古籍出版社，2009 年。
10. 薛平拴，《陝西歷史人口地理》，北京：人民出版發行，2001 年。
11. 謝美娥，《清代臺灣米價研究》，臺北：稻鄉出版社，2008 年。
12. 譚其驤，《中國歷史地圖集》，第八冊，北京：中國地圖出版社，1996 年。

（二）英 文

1. Lee, James Z. *State and Economy in Southwest Chins, 1250 to 1850*, unpublished.
2. Wilkinson, Endymion P. *Studies in Chinese Price History* , （Ph. D. Dissertaion Princeton University , 1970）, New York: Garland Publishing, Inc.,1980.

三、論 文

（一）中 文

1. 王業鍵、黃國樞，〈清代糧價的長期變動（1763～1910）〉，《經濟論文》，第 9 卷第 1 期（1981 年 3 月），頁 1～27。
2. 王道瑞，〈清代糧價奏報制度的確立及其作用〉，《歷史檔案》，1987 年第 4 期，頁 80～86、100。
3. 吳承明，〈論清代前期我國國內市場〉，吳承明，《中國資本主義與國內市場》，臺北：谷風出版社，1987 年，頁 311～336。
4. 吳賓、朱宏斌、樊志民，〈明清時期陝南農業商品化發展及其成因〉，《西北農林科技大學學報（社會科學版)》，第 5 卷第 4 期（2005 年 7 月），頁 172～176。
5. 吳賓、黨曉虹，〈明清時期陝南地區移民及農業開發成因的研究〉，《中國農學通報》，第21卷第10期（2005年10月），頁405～407。
6. 呂卓民，〈明代陝南地區農業經濟的開發〉，《西北大學學報（哲學社會科學版）》，1996年第3期，頁86～90。
7. 李伯重，〈十九世紀初期中國全國市場：規模與空間結構〉，《浙江學刊》，2010年第4期，頁5～14。
8. 徐學初，〈清政府的糧價奏報制度與穩定市場糧價的政策〉，《國內外經濟管理》，1986年第2期，頁80～86、100。
9. 張瑞威，〈十八世紀江南與華北之間的長程大米貿易〉，《新史學》，第21卷1期（2010年3月），頁149～173。
10. 許檀，〈明清時期城鄉市場網絡體系的形成及意義〉，《中國社會科學》2000年第3期，頁191～202、207。
11. 陳仁義、王業鍵，〈統計學在歷史研究上的應用：以清代糧價爲例〉，《興大歷史學報》，第15期（2004年10月），頁11～34。
12. 陳金陵，〈清朝的糧價奏報與其盛衰〉，《中國社會經濟史研究》，1985年第3期，頁63～68。
13. 馮歲平，〈漢中歷史交通地理論綱〉，《漢中師範學院學報》，1998年第3期，頁35～39。
14. 趙常興、周敏，〈移民對清代陝南地區農業經濟的開發與制約〉，《安徽農業大學學報（社會科學版）》，第13卷第1期（2004年1月），頁29～32。
15. 劉揚、劉立榮，〈試述清代陝南自然環境的變遷〉，《新西部》，2008年第10期，頁56～57、68。
16. 劉嵬，〈清代糧價折奏制度淺議〉，《清史研究通訊》，1984年第3期，頁16～19。
17. 鄭艷，〈漢中城的興起與繁榮及其原因〉，《四川大學學報（哲學社會科學版）》，2004年增刊，頁238～240。
18. 謝美娥，〈十九世紀淡水廳、臺北府的糧食市場整合研究〉，淡江大學歷史學系主辦，「第五屆淡水學國際學術研討會」，臺北：淡江大學，2010年10月15～16日，頁1～42。
19. 謝美娥，〈餘米運省濟民居，兼及西浙與東吳——十八世紀臺米流通及其與週邊地區糧食市場整合的再觀察〉，中央研究所人文社會科學中心地理資訊科學研究專題中心、香港中文大學歷史系及太空與地球信息科學研究所鹽和主辦，「明清時期江南市場經濟的空間、制度與網絡國際研討會」，臺北：中央研究所，2009年10月5～6日，頁1～30。
20. 吳美盈，〈十八世紀清代糧價之統計分析——長江以南地區〉，嘉義：國立中正大學數學研究所碩士論文，2002年。
21. 李建德，〈十八世紀四川的糧食市場整合——以成都平原爲中心〉，臺南：

國立成功大學歷史學系在職專班碩士論文，2011 年。
22. 周昭宏，〈清代糧價資料之相關性分析〉，嘉義：國立中正大學數理統計研究所碩士論文，1999 年。
23. 林志哲，〈清代糧價資料之研究〉，嘉義：國立中正大學數理統計研究所碩士論文，1996 年。
24. 張萍，《明清陝西商業地理研究》，西安：陝西師範大學歷史地理研究所博士論文，2004。
25. 曾馨儀，〈十八世紀清代糧價之統計分析——長江流域〉，嘉義：國立中正大學數學研究所碩士論文，2002 年。
26. 楊嘉莉，〈十八世紀清代糧價之統計分析——兩湖地區〉，嘉義：國立中正大學數學研究所碩士論文，2002 年。
27. 溫麗平，〈清代糧價資料之探索性分析〉，嘉義：國立中正大學數理統計研究所碩士論文，1999 年。
28. 劉俊傑，〈清代糧價水準及糧食供需之統計檢定〉，嘉義：國立中正大學數學研究所碩士論文，2001 年。
29. 歐昌豪，〈清代糧價資料庫之資料探索〉，嘉義：國立中正大學數理統計研究所碩士論文，2001 年。
30. 鄭生芬，〈十八世紀贛南地區的糧食市場整合研究〉，臺南：國立成功大學歷史學系在職專班碩士論文，2011 年。
31. 賴建助，〈清代糧價資料之遺漏值估計〉，嘉義：國立中正大學數理統計研究所碩士論文，2000 年。
32. 薛汝芳，〈十八世紀清代糧價之統計分析——晉皖江浙地區〉，嘉義：國立中正大學數學研究所碩士論文，2002 年。

（二）英　文

1. Li, Lillian M.,"Grain Prices in Zhili Province, 1736-1911: A Preliminary Study" ,Thomas G. Rawski and Lillian M. Li ed. ,*Chinese History in Economic Perspective*, （Berkeley and Los Angeles , CA: University of California Press,1992） pp.69-99.
2. Marks, Robert B. and Chen Chunsheng, "Price Inflation and It's social, Economic, and Climatic Context in Guangdong Province, 1707-1800," *T'oung Pao*, vol.81,No.1 （1995）, pp.109-152.
3. Marks, Robert B., "Rice Price, Food Supply, and Market Structure in Eighteenth–Century South China", *Late Imperial Chin*a, Vol. 12, No. 2 （December 1991）, pp.64-116.
4. Perdue, Peter C., "The Qing State and the Gansu Grain Market 1739-1864," Thomas G.. Rawski and Lillian M. Li ed. ,*Chinese History in Economic*

Perspective, （Berkeley and Los Angeles, CA: University of California Press,1992） pp.100-125.

5. Wang, Yeh-Chien, "The Secular Trend of Price in the Yangzi Delta （1638-1935） " in Thomas G. Rawski and Lillian M. Li ed., *Chinese History in Economic Perspective*, （Berkeley and Los Angeles , CA: University of California Press, 1992） , pp.35-69.
6. Wong, R. Bin and Peter C. Perdue,"Grain Market and Food Supplies in 18th Century Hunan ," Thomas G.. Rawski and Lillian M. Li ed., *Chinese History in Economic Perspective*, （Berkeley and Los Angeles , CA: University of California Press,1992），pp.127-145.